CLÁSSICOS GREGOS & LATINOS

Rio profundo, os padrões e valores da cultura greco-latina
estão subjacentes ao pensar e sentir do mundo hodierno.
Modelaram a Europa, primeiro, e enformam hoje a cultura
ocidental, do ponto de vista literário, artístico, científico,
filosófico e mesmo político. Daí poder dizer-se que,
em muitos aspectos, em especial no campo das actividades
intelectuais e espirituais, a nossa cultura é, de certo modo,
a continuação da dos Gregos e Romanos. Se outros factores
contribuíram para a sua formação, a influência dos ideais
e valores desses dois povos é preponderante e decisiva.
Não conseguimos hoje estudar e compreender plenamente
a cultura do mundo ocidental, ao longo dos tempos,
sem o conhecimento dos textos que a Grécia e Roma nos legaram.
É esse o objectivo desta colecção: dar ao público de língua
portuguesa, em traduções cuidadas e no máximo fiéis,
as obras dos autores gregos e latinos que, sobrepondo-se
aos condicionalismos do tempo, e, quantas vezes,
aos acasos da transmissão, chegaram até nós.

CLÁSSICOS GREGOS & LATINOS

Colecção elaborada sob supervisão do Instituto de Estudos Clássicos da Faculdade de Letras da Universidade de Coimbra com a colaboração da Associação Portuguesa de Estudos Clássicos

Títulos publicados:

1. AS AVES, de Aristófanes
2. LAQUES, de Platão
3. AS CATILINÁRIAS, de Cícero
4. ORESTEIA, de Ésquilo
5. REI ÉDIPO, de Sófocles
6. O BANQUETE, de Platão
7. PROMETEU AGRILHOADO, de Ésquilo
8. GÓRGIAS, de Platão
9. AS BACANTES, de Eurípides
10. ANFITRIÃO, de Plauto
11. HISTÓRIAS – Livro I, de Heródoto
12. O EUNUCO, de Terêncio
13. AS TROIANAS, de Eurípides
14. AS RÃS, de Aristófanes
15. HISTÓRIAS – Livro III, de Heródoto
16. APOLOGIA DE SÓCRATES • CRÍTON, de Platão
17. FEDRO, de Platão
18. PERSAS, de Ésquilo
19. FORMIÃO, de Terêncio
20. EPÍDICO, de Plauto
21. HÍPIAS MENOR, de Platão
22. A COMÉDIA DA MARMITA, de Plauto
23. EPIGRAMAS – Vol. I, de Marcial
24. HÍPIAS MAIOR, de Platão
25. HISTÓRIAS – Livro VI, de Heródoto
26. EPIGRAMAS – Vol. II, de Marcial
27. OS HERACLIDAS, de Eurípides
28. HISTÓRIAS – Livro IV, de Heródoto
29. EPIGRAMAS – Vol. III, de Marcial
30. AS MULHERES QUE CELEBRAM AS TESMOFÓRIAS, de Aristófanes
31. HISTÓRIAS – Livro VIII, de Heródoto
32. FEDRA, de Séneca
33. A COMÉDIA DOS BURROS, de Plauto
34. OS CAVALEIROS, de Aristófanes
35. EPIGRAMAS – Vol. IV, de Marcial
36. FILOCTETES, de Sófocles
37. CÁSINA, de Plauto
38. HISTÓRIAS – LIVRO V, de Heródoto

Apologia de Sócrates
Críton

Capa: F.B.A.

Depósito Legal nº 245740/06

Biblioteca Nacional de Portugal - Catalogação na Publicação

PLATÃO, 427?-347? a.C.

Apologia de Sócrates e Críton. – Reimp. – (Clássicos gregos e latinos ; 16)

ISBN 978-972-44-1297-9

CDU 1Sócrates
172

Impressão e acabamento:
PENTAEDRO
para
EDIÇÕES 70, LDA.
Outubro de 2021

ISBN: 978-972-44-1297-9
ISBN da 1ª edição: 972-44-0966-X

EDIÇÕES 70, uma chancela de Edições Almedina, S.A.
LEAP CENTER – Espaço Amoreiras
Rua D. João V, n.º 24, 1.03 / 1250-091 Lisboa – Portugal
e-mail: geral@edicoes70.pt

www.edicoes70.pt

Platão

Apologia de Sócrates
Críton

Tradução do grego, Introdução e notas de
Manuel De Oliveira Pulquério
Professor Catedrático da Universidade de Coimbra

APOLOGIA DE SÓCRATES

INTRODUÇÃO

Na Primavera de 399 a.C., Sócrates comparece perante o tribunal dos Heliastas para responder por uma acusação de impiedade. Os seus inimigos são como uma hidra de muitas cabeças que, de momento, mostra, ameaçadoras, apenas três: Meleto, Ânito e Lícon. São os comparsas empurrados para a frente da cena por uma vontade maioritária de extermínio do filósofo. Meleto é um poeta medíocre que se prestou (por ódio? por dinheiro?) a colaborar num processo cuja fundamentação ele nunca chegou bem a entender. É ele que aparece junto do arconte-rei como o primeiro fautor da acusação, mas, no fundo, é apenas um peão movido por Ânito, um dos chefes mais prestigiosos do partido democrático. Quis este situar-se em segundo plano para mais facilmente, e com menos risco, orientar o jogo, que tinha implicações políticas vastas de resultados imprevisíveis. Sócrates não era positivamente um desconhecido e, apesar da sua posição delicada, continuava a contar com o apoio de gente poderosa. Ânito não quer expor-se demasiado e, por isso, tenta dissimular-se por trás de Meleto, o poeta falhado, e de Lícon, o orador venal. Não consegue, com isso, iludir ninguém. O acusado sabe que é a ele que em primeiro lugar tem de defrontar.

O texto da acusação, tal como o encontramos formulado em Diógenes Laércio, é o seguinte: «Esta acusação jurada é de Meleto, filho de Meleto, natural do demo piteu, contra Sócrates, filho de Sofronisco, natural do demo alopecense. Sócrates é culpado de não acreditar nos deuses em que acredita a cidade e de introduzir divindades novas; é ainda culpado de corromper a juventude. Pena pedida: a morte.»

Como quer que Sócrates tenha orientado a sua defesa neste processo (ele não quis recorrer ao grande orador Lísias, que lhe ofereceu os seus serviços), a verdade é que a sentença do tribunal lhe foi desfavorável e culminou com a condenação à morte, pedida pela acusação. Esta condenação foi alcançada por uma maioria escassa de juízes (num total de 502), o que significa que a natureza da causa não era suficientemente clara aos olhos dos julgadores. A perplexidade, que pressentimos a uma distância de tantos séculos, aparece reflectida nos testemunhos que do processo nos legou a Antiguidade, nomeadamente nas *Apologias* de Xenofonte e de Platão.

Embora não haja unanimidade na apreciação do valor histórico destas obras, devidas a dois discípulos de Sócrates, um grande consenso se estabeleceu em torno da valorização da *Apologia* de Platão, como aquela que mais fielmente retrata, não tanto os aspectos materiais como o sentido profundo dos acontecimentos. Quer isto dizer que a *Apologia* platónica, embora não constitua a reprodução literal do discurso que Sócrates pronunciou no tribunal, é um texto que lida rigorosamente com a substância da causa.

A 1.ª parte da obra, que preenche o espaço do julgamento até à pronúncia do veredicto de culpa, é uma construção complexa em que se assinalam, apesar dos contornos mal definidos, as seguintes três divisões fundamentais: resposta às antigas acusações; resposta às acusações de Meleto; justificação da actividade do filósofo, à luz de uma ordem divina.

A primeira divisão é especialmente consagrada à refutação daqueles cuja voz se faz ainda ouvir n'*As Nuvens* de Aristófanes. O comediógrafo é o porta-voz de uma grave incompreensão que transforma Sócrates, simultaneamente, num filósofo naturalista e num sofista.

Quando Sócrates, referindo-se à investigação dos «fenómenos subterrâneos e celestes», afirma nada conhecer destas matérias (19c), sabemos que está a ser pouco exacto. É do *Fédon* (96a sqq.) a informação de que o filósofo se dedicou a estes estudos na sua juventude. Quando, porém, logo a seguir, observa que não pretende «depreciar este género de ciência», reconhecemos, por um lado, a altura moral de Sócrates, que não força o seu pensamento, apesar dos riscos, e ficamos, por outro lado, perplexos com aquela negação de conhecimentos científicos, cuja utilidade, neste caso, não é fácil de vislumbrar. A recusa da posse de tais conhecimentos, apenas por razões tácticas de defesa, é de excluir inteiramente. A *Apologia* de Platão apresenta-nos um Sócrates de tão heróica fidelidade aos seus princípios, tão incapaz de compromissos ou transigências, que já se chegou a perguntar se estamos em face de uma defesa ou de uma confissão de culpa. A única explicação para a atitude de negar o seu interesse pela ciência só pode ser o facto de, cedo, ter abandonado esses estudos e, o que é mais importante, nunca ter ensinado essas matérias a ninguém.

Quanto à acusação de sofista, trata-se de uma grosseira confusão que Sócrates não tem dificuldade em desmascarar, embora, mais uma vez, corajosamente, confesse a sua admiração por sofistas como Górgias, Pródico e Hípias.

Na segunda divisão deste primeiro discurso (a resposta a Meleto), Sócrates dedica-se a demonstrar a fragilidade e o absurdo das acusações de Meleto, que se revela facilmente como alguém que não pode ser tomado a sério.

Depois de estabelecer a relação lógica entre a corrupção dos jovens e a descrença nos deuses tradicionais, Sócrates pergunta a Meleto se deve pensar que é acusado de não acreditar em todos os deuses ou em alguns deuses. Neste último caso não poderá, como é evidente, ser considerado totalmente ateu (26c).

Esta maneira de formular a questão confunde totalmente Meleto que perde de vista que a acusação não era de ateísmo, mas de repúdio das divindades tradicionais e introdução de divindades novas. A perspectiva de ter de admitir que Sócrates acreditava na «existência de deuses» atemoriza o ingénuo e pouco inteligente poeta que radicaliza totalmente a acusação, facilitando a Sócrates a defesa. Defesa pouco convincente porque o problema não é vencer Meleto numa batalha verbal, mas refutar com objectividade a acusação inicial. Ora isto não o faz Sócrates, que está visivelmente pouco à vontade para esclarecer os juízes e o público sobre as suas convicções religiosas. A ortodoxia da sua crença nem de longe fica demonstrada.

Ao tratar esta matéria, Xenofonte envereda por outro caminho, que muitos julgam mais eficaz: a demonstração do respeito pela religião tradicional é feita pela referência à participação de

Sócrates em actos oficiais de culto da cidade. Fica de pé a questão de saber se esta atitude é conciliável com a alegada introdução de deuses novos, pelo que se pode dizer que a defesa de Xenofonte fica realmente a meio caminho.

A terceira divisão da 1.ª parte da *Apologia* encerra o essencial da defesa realizada por Sócrates. É a menção decisiva do oráculo de Apolo que atribui a Sócrates a missão de «viver filosofando» (28c) e, na fidelidade a esta ordem do deus, consiste a grande demonstração da piedade do filósofo.

O sentido deste oráculo, que apresentava Sócrates como o mais sábio dos homens, não é entendido claramente pelo filósofo logo de início e esta dificuldade decide-o a proceder a uma investigação destinada a provar se o deus falou ou não verdade. À primeira vista, a iniciativa pode parecer ímpia e alguns autores têm tentado explicar a atitude de Sócrates com base no pouco respeito que os Atenienses, em geral, teriam pelo oráculo de Delfos. Recordam a esse propósito, por exemplo, diversos momentos em que o oráculo de Delfos tomou a defesa da política persa ou espartana contrariamente aos interesses de Atenas. Não nos parece, no entanto, que seja de aceitar esta interpretação. A investigação em causa é apresentada como uma missão imposta pelo deus, mal compreendida no início porque assente numa ironia: Sócrates era o mais sábio dos homens porque era o único consciente da sua ignorância. A iniciativa empreendida por Sócrates destinava-se, verdadeiramente, não a tentar demonstrar a falsidade do oráculo, mas a provar a sua veracidade. De resto, a linguagem de Sócrates caracteriza-se por uma extrema prudência. A possibilidade de refutação do oráculo é apresentada apenas como hipótese, destituída de qualquer verosimilhança: «convencido de que este seria um bom meio, *admitindo que houvesse algum*, de vir a refutar o oráculo» (21b-c).

Mas o que importa acima de tudo salientar é que a defesa de Sócrates se encontra essencialmente baseada neste oráculo de Apolo. É o oráculo que define a missão do filósofo e autentica a sua piedade. Inaceitável, por isso, a posição daqueles que falam de ironia socrática a propósito da argumentação com o oráculo de Delfos. Nada há, pelo contrário, de mais sério na *Apologia*.

Quanto à hipótese de uma atitude céptica ou hostil do Ateniense médio em relação ao oráculo de Delfos, nunca o comportamente de Sócrates se pautou pelo da maioria. E não era num processo de impiedade que ele iria transigir com regionalismos de opinião, que punham em causa a sua piedade para com os deuses tradicionais. De resto, para além das vicissitudes políticas e de ocasionais arrefecimentos da devoção de muitos a Apolo, nunca o deus deixou de ser objecto da piedade da maioria. Confirmam-no as obras dos grandes trágicos atenienses, com toda a força do seu testemunho religioso e artístico.

A 2.ª parte da *Apologia* situa-se no momento em que acaba de ser proferida a sentença do tribunal, que considera Sócrates culpado. Convidado, segundo a lei, a opor à condenação à morte, pedida pela acusação, uma proposta de pena, Sócrates solicita, ao mesmo tempo com ironia e coerência, o mais alto galardão: ser, como os grandes benfeitores da cidade, alimentado até ao fim da vida no Pritaneu. Depois desta declaração pode, sem vergonha, considerar a hipótese do pagamento de uma multa. Como apreciar esta atitude à luz da versão de Xenofonte, em que Sócrates se recusa a propor qualquer multa porque isso equivaleria a um reconhecimento de culpa? Realismo e modéstia explicam, cremos nós, o comportamento de Sócrates. Não há aqui nenhuma espécie de admissão de culpa, mas uma pequena transigência que respeita o essencial: a fidelidade à missão imposta pelo deus. Trata-se, no fundo, de uma maneira de «não fazer mal a si próprio» (37b), princípio que o filósofo considera tão legítimo como o de não fazer mal a outra pessoa. E depois uma multa que se pode pagar não é considerada um «castigo» de uma culpa, mas só o cumprimento de uma formalidade que salvaguarda o mais importante. A intransigência total, apreciada por Xenofonte, exporia Sócrates, inevitavelmente, a um castigo injusto, ao mesmo tempo que colocaria os juízes na posição verdadeiramente lamentável (é este o pensamento de Sócrates) de praticar uma grave injustiça. Observe-se ainda que a multa proposta por Sócrates (uma quantia pouco avultada de prata) não tem sombra de ironia. Que mais poderia oferecer um homem que vivia, confessadamente, em grande pobreza?

Na 3.ª parte da *Apologia*, Sócrates, já condenado à morte, dirige a palavra aos seus juízes, para lamentar os que o condenaram e falar da sua grande esperança na vida futura aos que o absolveram. A estes últimos pede que tomem consciência desta verdade: «que nenhum mal pode acontecer a um homem de bem, nem em vida, nem depois de morrer, e que nunca os deuses se desinteressam da sua sorte» (41c-d). A morte não atemoriza o filósofo, afinal tão piedoso que nem uma condenação à morte por impiedade consegue afectar a sua confiança nos deuses.

APOLOGIA DE SÓCRATES
(Tradução)

PRIMEIRA PARTE

O ACUSADO DEFENDE-SE

Não sei, Atenienses, que impressão vos causaram os meus acusadores. Pela minha parte, ao ouvi-los, estive quase a esquecer-me de quem sou, a tal ponto eles foram persuasivos. E, no entanto, se assim me posso exprimir, não disseram uma só palavra verdadeira. Mas, entre as muitas mentiras que proferiram, uma me deixou verdadeiramente espantado: foi quando disseram que devíeis ter cuidado em não vos deixardes iludir pela minha hábil eloquência. O facto de não se envergonharem de ser imediatamente desmentidos por mim, quando eu mostrar que não tenho o mínimo jeito para falar, pareceu-me neles o cúmulo da impudência, a menos que eles chamem eloquente àquele que diz a verdade. Se é este o sentido em que falam, posso admitir que sou um orador, mas não à sua maneira. 17 *b*

Portanto, repito, eles não disseram quase nada ou nada de verdadeiro. De mim ireis ouvir toda a verdade. Mas, por Zeus, ó Atenienses, não serão os meus discursos, como os deles, engalanados de verbos e nomes elegantemente associados; ouvir-me-eis falar naturalmente, com as primeiras palavras que me ocorrerem. Certo, como estou, de que o que vou dizer é justo, nenhum de vós pode esperar mais nada de mim. Não seria, efectivamente, bem, ó juízes, que eu me apresentasse nesta idade junto de vós, a modelar frases como um rapaz. Mas uma coisa vos peço, Atenienses, e insisto neste ponto: se me ouvirdes defender-me com as mesmas palavras que costumo usar, quer na praça pública, junto aos balcões dos mercadores, onde muitos de vós me tendes escutado, quer noutros lugares, não vos admireis nem protesteis[1] por causa disto. É que a minha situação é *c* *d*

[1] Ao contrário de um tribunal moderno, em que se exige silêncio para a realização dos trabalhos, este tribunal da Atenas do séc. IV a.C. é constituído por uma multidão ruidosa que, aprovando ou desaprovando, manifesta livremente os seus sentimentos e opiniões.

a seguinte: pela primeira vez, depois de setenta anos de idade, compareço perante um tribunal. Encontro-me, por isso, alheio de todo ao género de linguagem aqui empregado. Ora assim como, se eu fosse realmente um estranho em Atenas, me desculparíeis por certo que falasse com o sotaque e o dialecto da

18 minha naturalidade, também me parece justo pedir-vos que me deixeis usar a minha maneira normal de falar, seja ela pior ou melhor, e que considereis apenas com atenção se o que digo é justo ou não. Este é, na realidade, o dever de um juiz, enquanto o de um orador é dizer a verdade.

Em primeiro lugar, Atenienses, devo responder às primeiras acusações falsas de que fui objecto e aos meus primeiros acu-

b sadores; depois, às acusações e acusadores mais recentes. Efectivamente, muitos têm sido aqueles que de longa data me acusam junto de vós, sem nada dizer de verdadeiro. A estes temo eu mais que a Ânito e aos que o rodeiam, embora os últimos sejam também de temer. Mas aqueles são mais temíveis, ó Atenienses, porque tomaram muitos de vós à sua conta desde crianças, persuadindo-vos, com falsas acusações, de que havia um certo Sócrates, homem sábio, que se ocupava dos fenómenos celestes, investigava o que se passava debaixo da terra e era

c capaz de fazer prevalecer sobre as boas as causas más. Ao espalhar esta fama, Atenienses, estes tornaram-se os meus piores acusadores, porque aqueles que os ouvem convencem-se que os homens que se entregam a estas investigações não crêem nos deuses. Depois, estes acusadores são em grande número, dedicam-se a esta tarefa há muito tempo e, além disso, dirigiram-se a vós naquela idade em que éreis mais crédulos, na infância, e em alguns casos, na adolescência, acusando ainda por cima um ausente, que não tinha ninguém a defendê-lo. E o mais absurdo

d de tudo isto é que não é possível conhecer os seus nomes, para os citar, com excepção talvez de um certo comediógrafo (2). Pois aqueles que, por inveja e servindo-se da calúnia, vos persuadiram, bem como aqueles que, uma vez persuadidos, se encarregaram de persuadir outros, são os adversários mais difíceis. Não há, efectivamente, possibilidade de fazer comparecer aqui nem

---

(2) Uns vinte anos atrás, Aristófanes atacara violentamente Sócrates na sua comédia *Nuvens*.

de refutar qualquer deles, pelo que me vejo forçado a defender--me, lutando por assim dizer contra sombras e discutindo argumentos, sem ter ninguém que me responda. Considerai, pois, que, como acabo de dizer, são de duas espécies os meus acusadores: uns são os autores desta recente acusação, os outros, de quem tenho estado a falar, acusam-me há muito tempo. Deveis compreender que tenho de me defender em primeiro lugar destes últimos. É que foram estes os primeiros que vós ouvistes acusar-me e muito mais do que os outros, que vieram depois. *e*

Posto isto, tenho de iniciar a minha defesa, Atenienses, e de tentar, em pouco tempo, arrancar do vosso espírito a calúnia que nele se instalou há muito tempo. Gostaria de o conseguir, se isto fosse de algum modo um bem para vós e para mim, gostaria de ver bem sucedida a minha defesa, mas sei que isto não é fácil e tenho perfeita consciência da situação. Que o resultado seja, porém, aquele que agradar à divindade! Pela minha parte cumpre-me obedecer à lei e realizar a minha defesa. 19

Vejamos, pois, desde o princípio, que espécie de acusação originou a calúnia em que se apoiou Meleto para intentar contra mim neste processo. Em tais circunstâncias, pergunto: que diziam exactamente os meus caluniadores? Importa ler a declaração que estes prestaram, sob juramento, na sua qualidade de acusadores: «Sócrates é culpado de investigar, em excesso, os fenómenos subterrâneos e celestes, de fazer prevalecer sobre a melhor a causa pior e de ensinar aos outros esta doutrina». Esta foi, mais ou menos, a sua declaração; isto mesmo pudestes vós ver na comédia de Aristófanes: um certo Sócrates, transportado através da cena, a dizer que andava pelo ar e a proferir muitas outras inépcias, de que eu não entendo nem muito nem pouco. E não digo isto para depreciar este género de ciência, admitindo que haja alguém verdadeiramente versado nela. Oxalá eu não venha ainda a ser acusado disto por Meleto! Mas a verdade, Atenienses, é que eu não conheço nada destas matérias. Como testemunhas do facto apresento a maior parte de vós e peço-vos que vos esclareçais uns aos outros e que faleis, todos os que algum dia me ouvistes discorrer, pois muitos de vós se encontram neste caso. Dizei, pois, uns aos outros se jamais algum de vós me ouviu dissertar pouco ou muito sobre estas matérias e concluireis que são do mesmo género as coisas que de mim diz a maioria. *b* *c* *d*

Mas, se nada disto é verdadeiro, tão-pouco o é a afirmação *e* que tendes ouvido fazer de que me ocupo a instruir as pessoas a troco de dinheiro. Não é que eu não admire os que são capazes de instruir os outros, como o fazem Górgias de Leontinos, Pródico de Ceos e Hípias(3) de Élide. Cada um destes homens, Atenienses, indo de cidade em cidade, sabe persuadir os jovens, 20 que poderiam conviver de graça com qualquer dos seus concidadãos à sua escolha, a abandonar o convívio destes e a procurar o seu, com a obrigação de pagamento e, ainda por cima, de reconhecimento. Mas temos ainda cá um outro sábio, natural de Paros, que, segundo fui informado, reside aqui. Calhou eu ir a casa de um homem que tem pago aos sofistas mais dinheiro que todos os outros, Cálias(4), filho de Hipónico. Como sabia que ele tinha dois filhos, perguntei-lhe: «Cálias, se, em vez de dois filhos, tivesses dois poldros ou dois novilhos, poderíamos arranjar *b* quem, mediante um salário, se encarregasse deles, de molde a desenvolver neles todas as suas qualidades segundo a sua natureza. A pessoa indicada seria um tratador de cavalos ou um agricultor. Mas, visto que se trata de homens, a quem pensas tu confiá-los? Quem há que seja entendido nas virtudes próprias de um homem e de um cidadão? Suponho que, tendo filhos, já pensaste no assunto. Há alguém, continuei eu, ou não? — Sem dúvida que há, disse ele. — Quem é essa pessoa?, perguntei. Donde é natural? Qual o preço das suas lições? — É Eveno de Paros, respondeu, e o preço, Sócrates, são 5 minas»(5). E eu pensei que era de felicitar Eveno, se realmente possui esta arte e a *c* ensina com tanta moderação. Pela minha parte, sentir-me-ia feliz e orgulhoso, se fosse capaz de fazer o mesmo. Mas a verdade, Atenienses, é que não sou.

---

(3) Górgias, Pródico, Hípias são nomes dos mais conhecidos do movimento sofístico que agitou o ambiente cultural da Grécia, nos sécs. V e IV a.C., com o seu relativismo especulativo e o seu cepticismo moral.

(4) Cálias foi um ateniense famoso pela sua riqueza e pelas suas ligações com os sofistas. É em sua casa que Platão situa a acção do diálogo *Protágoras*.

(5) Mina: moeda com o valor de 100 dracmas. Para dar uma ideia da correspondência actual da moeda grega clássica referiremos dois factos elucidativos: em fins do séc. V a.C. um trabalhador ganhava por dia 1 dracma (= 6 óbolos); no séc. IV, com a vida já mais cara, a despesa diária de uma pessoa em comida era de 2 a 4 óbolos.

Perguntará talvez um de vós:«Mas qual é afinal a tua ocupação, Sócrates? Donde nasceram estas calúnias? É que, se a tua conduta não tivesse nada de excepcional, não tinhas adquirido esta fama e não se falaria tanto de ti, se não fizesses nada diferente da maioria. Diz-nos, pois, o que é, para não termos nós de inventar uma explicação.» Estas palavras parecem-me perfeitamente razoáveis e, por isso, vou tentar explicar-vos o que é que deu origem a esta fama e a esta calúnia. Escutai. Poderá parecer a alguns de vós que estou a gracejar, mas podeis estar certos de que vos direi toda a verdade. Adquiri esta reputação, Atenienses, única e exclusivamente graças a uma certa sabedoria. Que género de sabedoria? Aquela que é talvez a sabedoria própria do homem. Na realidade, é esta sabedoria que muito provavelmente possuo, ao passo que aqueles, de quem há pouco eu falava, possuem uma sabedoria que excede a humana, ou então é outra coisa que eu não sei explicar. Esta última sabedoria não a tenho de certeza e, se alguém disser o contrário, mente, com o único fito de me caluniar. Entretanto, peço-vos, Atenienses, que não comeceis a clamar contra mim, se vos parecer que pronuncio palavras orgulhosas. Efectivamente, não são minhas as palavras que vou dizer, mas de alguém que merece toda a vossa confiança. Como testemunha da minha sabedoria, se realmente ela existe e qualquer que ela seja, apresentar-vos-ei o deus de Delfos[6].

d

e

Conheceis evidentemente Querefonte[7]. Foi meu amigo desde a juventude e amigo da maior parte de vós; foi convosco para o exílio[8] que sabeis e convosco regressou. Sabeis como era Querefonte, a paixão que punha em tudo o que empreendia. Ora, tendo um dia ido a Delfos, ousou consultar o oráculo sobre

21

---

[6] O oráculo de Delfos, presidido por Apolo, tinha carácter pan-helénico, exercendo, por isso, sobre toda a Grécia um autêntico magistério religioso, moral e político.

[7] Querefonte é um dos primeiros discípulos de Sócrates, o que explica o facto de ter sido alvo da sátira de Aristófanes nas *Nuvens*. É de crer que as suas convicções democráticas tornem o seu testemunho particularmente fidedigno aos olhos de democratas como Ânito.

[8] Quando, em 404 a.C., Atenas deixou de ser uma democracia para passar a ser governada pelos Trinta Tiranos, muitos democratas partiram para o exílio.

a seguinte questão — peço-vos mais uma vez, Atenienses, que não comeceis a clamar contra o que eu vou dizer —: perguntou se havia alguém mais sábio do que eu. A Pítia[9] respondeu-lhe que não havia ninguém mais sábio. A exactidão destas palavras poderá atestá-la perante vós o irmão de Querefonte, aqui presente, visto que Querefonte já morreu.

b Mas sabei agora o motivo por que vos falo neste assunto: é que pretendo explicar-vos a origem das calúnias de que sou alvo. Ao tomar conhecimento do oráculo que referi, fiz comigo as seguintes reflexões: «Que quererá dizer o deus? Que pretende ele dar a entender? Sei muito bem que não sou sábio, nem muito nem pouco. Que quer ele dizer quando afirma que sou o mais sábio dos homens? Porque, enfim, ele não está a mentir; não lhe é lícito fazê-lo.»

Muito tempo estive indeciso sobre o sentido do oráculo. Por fim, resolvi, embora isso me custasse, proceder à seguinte *c* investigação. Procurei um daqueles que são tidos na conta de sábios, convencido de que este seria um bom meio, admitindo que houvesse algum, de vir a refutar o oráculo, de, em suma, lhe poder dizer: «Este homem é mais sábio do que eu e, no entanto, tu afirmaste que eu era o mais sábio de todos.»

Examinando, pois, a fundo este homem — não preciso de citar o seu nome; era um dos nossos homens de Estado —, observando-o bem ao longo de uma conversa, Atenienses, fiquei com a seguinte impressão: pareceu-me que este homem passava por sábio aos olhos da maioria das pessoas e sobretudo aos seus próprios olhos, mas que na realidade o não era. Tentei, por isso, *d* demonstrar-lhe que se enganava, ao julgar que era sábio. Isto me fez incorrer na sua inimizade, bem como na da maioria dos que assistiram à nossa conversa. Ao retirar-me, ia fazendo comigo esta reflexão: «Sou, sem dúvida, mais sábio que este homem. É muito possível que qualquer um de nós nada saiba de belo nem de bom; mas ele julga que sabe alguma coisa, embora não saiba, ao passo que eu nem sei nem julgo saber. Parece-me, pois, que eu sou algo mais sábio do que ele, na precisa medida em que não julgo saber aquilo que ignoro.»

---

[9] A Pítia era uma virgem que, em estado de êxtase, interpretava a vontade de Apolo em termos posteriormente decifrados pelos sacerdotes.

Procurei depois um dos que passavam por ser mais sábios do que este e cheguei exactamente à mesma conclusão; e da mesma forma incorri na inimizade dele e de muitos mais. *e*

Continuei apesar de tudo as minhas investigações, compreendendo, com angústia e temor, que estava a arranjar muitos inimigos; mas sentia-me na obrigação estrita de não desprezar a resposta do deus. Tinha, pois, de tentar saber o sentido do oráculo, procurando todos aqueles que pareciam saber alguma coisa. Ora, juro-vos pelo cão([10]), Atenienses — tenho, efectivamente, de dizer-vos a verdade —, eis, em linhas gerais, a impressão que me ficou: aqueles que tinham mais fama pareceram-me quase inteiramente desprovidos dos conhecimentos essenciais quando os examinava à luz do oráculo do deus; outros, considerados menos importantes, estavam, entretanto, muito mais próximos de possuir a sabedoria. É conveniente que vos faça o relato completo dos esforços que despendi nestas digressões para demonstrar a validade irrefutável do oráculo. 22

Depois dos homens de Estado, dirigi-me aos poetas, autores de tragédias, criadores de ditirambos e outros, convencido que desta vez seria notória a inferioridade dos meus conhecimentos. Levando então comigo aqueles poemas da sua autoria que me pareciam mais bem elaborados, pedi-lhes que mos explicassem, no desejo de aprender alguma coisa com eles. Ora custa-me um bocado, Atenienses, dizer-vos a verdade, mas acho que deve ser dita. Quase todos os presentes teriam, por assim dizer, falado melhor do que os próprios poetas sobre os poemas que estes tinham escrito. Pude, pois, concluir em pouco tempo, a respeito dos poetas, que não compunham as suas obras graças ao seu saber, mas a um dom natural, a uma inspiração divina semelhante à dos adivinhos e profetas. Efectivamente estes dizem muitas coisas belas, mas não percebem nada daquilo que dizem. Tornou-se-me evidente que este é exactamente o caso dos poetas. E ao mesmo tempo percebi que, com o seu talento, eles julgavam ser os homens mais sábios em relação a outros domínios, *b* *c*

([10]) Com esta fórmula, cuja invenção era atribuída a Radamanto, juiz nos Campos Elísios, evitava-se banalizar o juramento em nome dos deuses. A referência ao «cão» é correntemente interpretada como feita ao deus egípcio com cabeça de cão, Anúbis. *Vide Górgias*, 482b.

o que de modo nenhum acontecia. Deixei então os poetas, convencido de que tinha sobre eles a mesma superioridade que sobre os políticos.

d Dirigi-me por fim aos artífices. Tinha a consciência de não saber, por assim dizer, nada e estava certo de que iria encontrar neles pessoas com muitos e belos conhecimentos. Nisto não me enganei: sabiam, de facto, coisas que eu não sabia e neste sentido eram mais sábios do que eu. Mas estes bons artífices, Atenienses, pareceram-me ter o mesmo defeito dos poetas. Lá porque exercia com perfeição a sua arte, cada um julgava ser o mais sábio em relação a assuntos mais importantes e esta pretensão obscurecia o seu saber real. Vi-me assim a perguntar a mim próprio *e* a respeito do oráculo se seria preferível ser como sou, igualmente desprovido da sabedoria e da ignorância daqueles, ou possuir, como eles, ignorância e saber. Respondi a mim e ao oráculo que me era mais vantajoso ser como sou.

23 Foi esta investigação, Atenienses, que me valeu muitas inimizades, tão duras e tão graves que originaram muitas calúnias e o nome de sábio que me passou a ser aplicado. É que os que assistem a estas discussões pensam sempre que eu sou sábio naquelas matérias em que demonstro a ignorância dos outros. Tal sabedoria, Atenienses, possui-a certamente o deus, que, muito provavelmente, quis significar com o seu oráculo que a ciência do homem é de escasso ou nulo valor. E é evidente que, ao falar de Sócrates, se serviu apenas do meu nome para me *b* apresentar como exemplo, como se dissesse: «O mais sábio de vós, ó mortais, é aquele que, como Sócrates, reconheceu que o seu saber é, na verdade, inteiramente desprovido de valor.» Estas investigações, continuo ainda hoje a realizá-las pela cidade, interrogando, de acordo com o oráculo do deus, todo aquele cidadão ou estrangeiro que me parece ser sábio. E, quando chego à conclusão contrária, é em defesa do deus que demonstro a sua ignorância. Em consequência desta ocupação falta-me o tempo para me consagrar de forma útil aos negócios da cidade e aos meus próprios. Vivo por isso em extrema probreza, por *c* estar apenas ao serviço do deus.

Além disso, os jovens que dispõem de mais tempo livre, aqueles que pertencem às famílias mais ricas, buscam espontaneamente o meu convívio, sentindo prazer em ouvir os interrogatórios a que submeto as pessoas. Eles próprios procuram muitas vezes imitar-me, investigando, por seu lado, a ciência dos outros. Hão-de, por certo, encontrar grande número de homens que julgam saber alguma coisa quando, na realidade, sabem pouco ou nada. Daqui resulta que aqueles que são por eles submetidos a este exame se irritam, não contra eles, mas contra mim, dizendo que há um certo Sócrates, homem perversíssimo, *d* que corrompe a juventude. E, quando alguém lhes pergunta o que é que Sócrates faz ou ensina para conseguir isto, não podem responder-lhe porque não sabem. Mas, para ocultar o seu embaraço, recorrem àquelas acusações que se fazem vulgarmente a todos os que estudam filosofia: que investigam o que se passa nos ares e debaixo da terra, que não acreditam na existência dos deuses e que fazem prevalecer sobre a melhor a causa pior. A verdade, que não quereriam de modo nenhum confessar, é que ficou claramente demonstrado que eles apenas fingem saber, quando na realidade nada sabem. Ora como eles são, creio eu, ambiciosos e violentos, além de muito numerosos, à *e* custa de falar contra mim de forma concertada e persuasiva, encheram-vos de longa data os ouvidos de calúnias furiosas. Dentre eles saíram a acusar-me Meleto, Ânito, e Lícon: Meleto mostra-se irado em nome dos poetas, Ânito em nome dos artífices e dos políticos, Lícon em nome dos oradores. Deste modo, 24 admirar-me-ia, como afirmei no princípio, se fosse capaz de, em tão pouco tempo, destruir em vós o efeito de calúnias já inveteradas.

Isto é, Atenienses, a pura verdade. Falo sem vos ocultar nem muito nem pouco, sem dissimular nada. E no entanto sei que assim me torno odioso exactamente como antes. Esta é a prova de que falo verdade, de que é precisamente esta a calúnia de que sou alvo e de que não são outras as suas origens. Se neste *b* momento ou mais tarde investigardes este assunto, descobrireis que é assim.

Mas, sobre as razões alegadas pelos meus primeiros acusadores, bastará a justificação que vos apresentei. Tentarei agora responder a Meleto, este homem virtuoso e amigo da sua cidade, como ele próprio diz, e aos meus últimos acusadores. Tal como fizemos com os outros, comecemos por recordar a sua declaração jurada. Ela foi feita mais ou menos nestes termos: «Sócrac tes é culpado de corromper a juventude e de não crer nos deuses em que crê a cidade, mas em divindades novas.» Este o teor da acusação. Analisêmo-la agora ponto por ponto.

Diz, portanto, Meleto que sou culpado de corromper a juventude. Ora eu, Atenienses, afirmo que culpado é Meleto de brincar com coisas sérias, ao arrastar, de ânimo leve, cidadãos aos tribunais, fingindo o maior interesse por coisas a que nunca ligou importância nenhuma. Que isto é assim, tentarei demonstrá-lo a todos vós.

Aproxima-te, pois, Meleto, e diz-me: Não atribuis a maior d importância a que os jovens se tornem o mais virtuosos possível? — Sem dúvida. — Pois bem, diz agora a estes juízes quem é que os faz melhores. É evidente que sabes responder, tão grande é o teu interesse por esta matéria. Descobriste que eu corrompo a juventude, como tu dizes, e então citas-me em tribunal e acusas-me. Mas vamos, diz quem os torna melhores, indica-o a este tribunal. Vês, Meleto, que te calas e não sabes responder? E não te parece vergonhoso, e prova suficiente do que afirmo, quando digo que este assunto não te tem merecido a mínima atenção? Pergunto-te mais uma vez, meu caro: quem os torna e melhores? — As leis. — Mas não é isso que eu pergunto, caríssimo, o que eu quero saber é qual é o homem que, apoiado no conhecimento dessas leis de que falas, torna os jovens melhores. — São os juízes que tens na tua frente, Sócrates. — Que dizes, Meleto? Estes homens são capazes de educar os jovens e de os tornar melhores? — Sem dúvida alguma. — Todos, ou alguns deles são capazes e os outros não? — Todos. — Bem respondido, por Hera; é uma boa quantidade de pessoas úteis. Mas vejamos: estes cidadãos que nos escutam fazem os jovens 25 melhores ou não? — Também fazem. — E os membros do Conselho? (11) — Também. — E quanto aos cidadãos que formam a Assembleia do Povo? Achas que corrompem os jovens ou que, pelo contrário, também eles os tornam melhores? — Tornam-nos melhores. — Chegamos à conclusão de que todos os Atenienses, ao que parece, tornam os jovens mais virtuosos, enquanto

(11) O Conselho (*Boulê*), vulgarmente chamado Conselho dos 500, era uma assembleia legislativa, encarregada de elaborar os projectos de lei que depois eram votados pela Assembleia do Povo (*Ecclesia*). *Vide infra*, nota 24.

só eu os corrompo. É isto que afirmas? — É precisamente isso que eu digo. — E assim me condenaste a uma grande desgraça. Mas responde-me: pensas que o mesmo acontece com os cavalos, por exemplo? Que todos os homens são capazes de os tornar melhores e que só um pode estragá-los? Ou será precisamente o contrário disto: que um só, ou apenas um pequeno número de entendidos, é capaz de tratar de cavalos convenientemente, ao passo que a maioria, se se mete a lidar com eles e a servir-se deles, os estraga? Não é isto que acontece, Meleto, com cavalos e todos os outros animais? É exactamente assim, quer tu e Ânito concordem, quer não. Seria, certamente, uma grande felicidade para os jovens, se houvesse apenas uma pessoa capaz de os corromper, enquanto todos os outros lhes faziam apenas bem. O que me parece perfeitamente demonstrado, Meleto, é que nunca ocupaste o teu pensamento com os jovens, e as tuas palavras mostram à evidência que nunca houve em ti a mínima preocupação por estas coisas de que me acusas.

b

c

Mas, por Zeus, diz-nos ainda, Meleto, se é melhor viver com cidadãos virtuosos ou com maus cidadãos. Vamos, meu amigo, responde: não te estou a fazer nenhuma pergunta complicada. Não é verdade que os maus fazem sempre algum mal àqueles que vivem mais perto deles, enquanto os bons lhes fazem sempre algum bem? — É exacto. — E haverá alguém que antes queira ser prejudicado do que ajudado por aqueles com quem convive? Responde, meu amigo, é a lei que te obriga a responder. Haverá alguém que queira ser prejudicado? — Certamente que não. — Ora bem, ao acusar-me de corromper os jovens e de os induzir ao mal, afirmas que o faço voluntária ou involuntariamente? — Acho que voluntariamente. — O quê, Meleto? Novo como tu és, és mais sábio do que eu, um velho, a tal ponto que sabes que os maus fazem sempre algum mal aos que vivem mais perto deles, e os bons algum bem, enquanto eu sou tão ignorante que nem sequer sei que, se tornar mau um dos que comigo convivem, me arrisco a receber dele algum mal, de modo que é a mim próprio que, voluntariamente, como tu dizes, faço um tão grande prejuízo? Aqui está uma coisa, Meleto, de que não consegues convencer-me e creio que não o conseguirás com pessoa nenhuma deste mundo. Mas o facto é que, ou eu não corrompo a juventude ou, se a corrompo, o faço involunta-

d

e

riamente, e deste modo tu mentes em qualquer dos casos. E, se
26 a corrompo involuntariamente, não há lei que te autorize a citar-me em tribunal por tais faltas involuntárias, antes devias tomar-me à parte para me esclarecer e advertir, pois é evidente que, uma vez instruído, eu deixarei de fazer o que faço sem querer. Mas tu evitaste encontrar-te comigo e não quiseste instruir-me. Preferiste arrastar-me a este tribunal, aonde a lei manda trazer os que precisam de castigo e não os que precisam de esclarecimento.

b Isto mostra à evidência, Atenienses, aquilo que eu há pouco dizia, que Meleto nunca atribuiu nem grande nem pequena importância a estas coisas. Em todo o caso, diz-nos, Meleto, como entendes que eu corrompo os jovens: certamente é ensinando-lhes a não acreditar nos deuses em que a cidade acredita, o que se deduz dos termos da acusação que apresentaste a este tribunal. Efectivamente, não dizes que é assim que eu os corrompo? — É exactamente isso que eu digo. — Mas em nome desses mesmos deuses de que falamos, Meleto, explica ainda mais claramente o teu pensamento, a estes juízes e a mim. É que
c eu não posso compreender se dizes que eu ensino a acreditar na existência de alguns deuses — e nesse caso eu próprio creio na existência de deuses, não sendo completamente ateu nem podendo, portanto, ser acusado de tal crime —, embora os meus deuses não sejam aqueles que a cidade reconhece, mas outros, e nisto assentará precisamente a acusação que me fazes, ou então se afirmas que eu não creio pura e simplesmente na exis-
d tência dos deuses e ensino isto aos outros. — O que eu digo é que tu negas em absoluto a existência dos deuses. — Ó meu excelente Meleto, para que dizes uma coisa dessas? Será que eu não acredito, como toda a gente, que o Sol e a Lua são deuses? — Não, por Zeus, ó juízes, ele não crê em tal, visto que afirma que o Sol é uma pedra e a Lua uma terra. — Julgas que estás a acusar Anaxágoras [12], meu caro Meleto. E tens assim tão pouca consideração por estes juízes, julga-los tão iletrados que não sai-

---

([12]) Filósofo iónico do séc. V a. C. Particularmente fecundo, o seu pensamento sobre o problema da evolução do universo, para o qual apresentou soluções que o punham em conflito com a tradicional interpretação mitológica da natureza. Veja-se, por ex., a referência do texto às suas concepções sobre o Sol e a Lua.

bam que são os livros de Anaxágoras de Clazómenas[13] que estãos cheios dessas teorias? E iria eu ensinar aos jovens aquilo que eles podem encontrar nesses livros, vendidos na orquestra[14] por uma dracma[15], quando muito, para eles se rirem de mim, vendo que lhes apresentei como minhas estas ideias, tão fáceis de identificar pela sua singularidade? Mas, por Zeus, pensas realmente que eu não acredito em nenhum deus? — Estou absolutamente certo disso, por Zeus. — Não se pode crer em ti, Meleto, e estou convencido de que nem tu acreditas em ti próprio. Este homem, ó juízes, parece-me de todo insolente e temerário, e na base da acusação que formulou contra mim julgo estar apenas a violência irreflectida da sua juventude. Efectivamente, o que me parece é que ele compôs um enigma para me experimentar: «Será o sábio Sócrates capaz de perceber que estou a gracejar, fazendo afirmações que são afinal contraditórias, ou conseguirei enganá-lo e ao resto do auditório?» Pois é perfeitamente claro que ele se contradiz a si próprio no acto de acusação, que, no fundo, significa o seguinte: «Sócrates é culpado de não acreditar nos deuses e, por outro lado, de acreditar nos deuses.» Esta é, evidentemente, uma linguagem de quem está a brincar.

e

27

Examinai agora comigo, Atenienses, as razões que me levam a pensar que é isto o que ele diz. E tu, Meleto, responde-nos. Quanto a vós, juízes, de acordo com o pedido que vos fiz no início deste discurso, lembrai-vos de não protestar contra mim, se eu conduzir a minha defesa da maneira que me é habitual.

b

Pode haver alguém, Meleto, que acredite na existência das coisas humanas sem, ao mesmo tempo, acreditar na existência dos homens? Obrigai-o a responder, juízes, não deixeis que ele se limite a protestar em vários tons. Pode haver alguém que negue a existência dos cavalos, ao mesmo tempo que admite a arte da equitação? Ou que não aceite a existência de flautistas, aceitando embora a arte de tocar flauta? Não, meu caro, não

---

([13]) Cidade da Ásia Menor, pertencente à Liga Iónica.

([14]) Parte do teatro grego, onde, ao que parece, se podia realizar a venda de manuscritos. Alguns autores pensam, no entanto, com base num testemunho do *Lexicon* de Timeu, que a «orquestra», mencionada por Sócrates, designa uma parte da ágora onde funcionava o mercado dos livros.

([15]) *Vide supra*, nota 5.

pode haver. Se não queres responder, eu me encarrego de o dizer, a ti e a todos os presentes. Mas responde ao menos a isto: haverá quem acredite em coisas «demoníacas», sem acreditar

c nos «demónios»? [16] — Não há. — Muito obrigado por me teres respondido a tanto custo, forçado pelos juízes. Ora tu afirmas que eu acredito na acção dos «demónios» e ensino que ela existe, quer seja nova, quer antiga. Tu próprio o disseste, mais ainda, juraste-o no acto de acusação. Mas, se acredito na acção dos «demónios», forçoso é, evidentemente, que acredite, também nos «demónios». Não será assim? Claro que é. E suponho que estás de acordo, visto que não respondes. Ora não pensa-

d mos nós que os «demónios» são deuses, ou filhos de deuses? Sim ou não? — É evidente que são. — Então se eu reconheço a existência de «demónios», como tu dizes, e se os «demónios» são deuses, parece-me que tenho razão ao afirmar que falas por enigmas e que estás a gracejar: primeiro, dizes que não acredito na existência dos deuses e, depois, que acredito na sua existência, visto que acredito nos «demónios». Se, por outro lado, os «demónios» são filhos bastardos dos deuses, nascidos de ninfas ou de outras criaturas, segundo se conta, quem poderá admitir que existem filhos de deuses sem existirem deuses? Da mesma

e maneira seria absurdo admitir que os machos nascem das éguas e dos burros e, por outro lado, negar a existência de éguas e de burros. Não, Meleto, não é possível que tenhas intentado contra mim esta acção sem ser para me experimentar, ou então não sabias que delito real me havias de imputar. Mas que possas convencer alguém, com um mínimo de senso, de que há um homem que acredita nas acções dos «demónios» e dos deuses, sem acre-

28 ditar nos «demónios», deuses ou heróis, eis o que me parece ir contra todas as possibilidades.

Mas, Atenienses, creio que não será necessário apresentar mais provas de que não sou culpado dos crimes de que me acusa Meleto. O que disse basta. Mas quando há pouco afirmava que tenho sido alvo do ódio de muita gente, sabei que falava verdade. E será isto que causará a minha perda, se eu for condenado, não Meleto, nem Ânito, mas a calúnia e a inveja de mui-

---

[16] Para os Gregos, os «demónios» eram entes sobrenaturais, que não tinham necessariamente carácter malfazejo.

tos. Isto que tem sido a ruína de muitos homens de bem há-de, por certo, causar ainda a ruína de outros. Não há perigo de que seja eu a última vítima. *b*

Mas talvez alguém me pergunte: «Não te envergonhas, Sócrates, de te teres entregado a um género de ocupação que te põe agora em risco de morrer?» A isto poderia eu, com razão, responder: «Estás em erro, meu amigo, se pensas que um homem, possuidor de algum mérito, deve calcular os riscos de viver ou morrer, em vez de, quando age, considerar apenas se o que faz é justo ou injusto, é obra de um homem de bem ou de um perverso. A acreditar em ti seriam desprezíveis aqueles semideuses que morreram em frente de Tróia, entre outros o filho de Tétis[17] para quem o perigo pouco era em comparação com a desonra. Quando a sua mãe, que era deusa, vendo-o ansioso por matar Heitor[18], lhe falou, segundo creio, mais ou menos[19] nestes termos: 'Meu filho, se vingares a morte de Pátroclo[20], teu companheiro, matando Heitor, tu próprio morrerás; pois, acrescentou, imediatamente após a morte de Heitor seguir-se-á a tua morte.' Ele, porém, ouvindo isto, desprezou a morte e o perigo, e receando muito mais uma vida sem honra, se renunciasse a vingar os seus amigos, exclamou: 'Que eu morra imediatamente, depois de ter punido o culpado, para não ser aqui objecto de riso junto das naus recurvas, peso inútil sobre a terra'.» Julgas tu que ele se preocupou com a morte e o perigo? É que assim é que, na verdade, deve ser, Atenienses: quem escolhe um posto, por julgar que é o melhor, ou o ocupa às ordens de um chefe, deve, em minha opinião, permanecer nele contra todos os riscos, não atendendo nem à morte nem a nenhuma outra coisa que não seja a desonra. *c* *d*

Seria, de facto, um procedimento estranho o meu, Atenienses, se, depois de me ter mantido firme como qualquer soldado, afrontando a morte, no posto que os generais, por vós eleitos, *e*

---

(17) Aquiles, o primeiro herói da *Ilíada*, era filho da deusa Tétis e de um mortal, Peleu.

(18) Heitor, filho de Príamo, rei de Tróia, era o maior guerreiro troiano.

(19) Platão cita de memória, o que explica que as citações (do canto XVIII da *Ilíada*) não sejam textuais.

(20) Grande amigo de Aquiles, cuja morte, às mãos de Heitor (*Ilíada*, canto XVI), faz regressar Aquiles aos campos de batalha.

me confiaram em Potideia, em Anfípolis e em Délio([21]), abandonasse agora, por medo da morte ou do que quer que seja, o posto que me foi atribuído por um deus, renunciando à missão, conscientemente aceite, de viver filosofando, examinando-me a mim próprio e aos outros. Seria bem estranho e legitimamente

29 me poderiam trazer a este tribunal com a acusação de não acreditar nos deuses, uma vez que desobedecera ao oráculo por medo da morte, julgando ser sábio não o sendo. Efectivamente, temer a morte, Atenienses, não é mais que julgar ser sábio, sem o ser, porque é imaginar que se sabe o que se não sabe. É que ninguém sabe o que é a morte nem se, por acaso, ela será para o homem o maior dos bens. Mas temem-na como se soubessem

b com segurança que é o maior dos males. Não será esta ignorância mais censurável, julgar que se sabe o que se não sabe? Quanto a mim, Atenienses, é talvez neste ponto que eu me distingo da maioria da pessoas; e, se pretendesse ser mais sábio do que outros em alguma coisa, seria nisto, que, não sabendo exactamente o que se passa nos domínios de Hades([22]), não tenho a pretensão de o saber. Mas que é mau e vergonhoso cometer a injustiça e desobedecer a um superior, seja deus ou homem, eis o que eu sei de ciência certa. Jamais, pois, transigirei com o mal que sei que é mal, por recear ou para evitar coisas que não sei

c se, porventura, são boas. Deste modo, admitamos que, neste momento, me absolvíeis, rejeitando a tese de Ânito, segundo a qual ou eu nunca devia ter comparecido neste tribunal ou, uma vez que compareci, não poderei deixar de ser condenado à morte, pela simples razão de que, se eu fosse absolvido, os vossos filhos se arruinariam totalmente, ao pôr em prática as doutrinas de Sócrates. Se, apesar de tudo isto, me dissésseis: «Sócrates, não daremos crédito às acusações de Ânito, mas só te absolvemos com uma condição, a de não mais te entregares a

---

([21]) Potideia (432-29), Délio (424) e Anfípolis (422) são episódios significativos da Guerra do Peloponeso, que opôs Atenas a Esparta, assinalados, o 1.º pela vitória, os dois últimos pela derrota de Atenas. Em todos eles Sócrates se manteve firme no seu posto, independemente do mérito dos chefes, que condicionou largamente os resultados obtidos. Como desertar agora do posto que lhe foi assinalado por um deus?

([22]) Hades, irmão de Zeus, era o deus que governava o reino dos mortos, designado, também este, por Hades.

este género de pesquisa e de renunciares à filosofia. Se fores *d* apanhado nestas actividades, morrerás»; se isto que acabo de dizer fosse a condição que me impussésseis para me absolver, dir-vos-ia: «Atenienses, tenho por vós consideração e afecto, mas antes quero obedecer ao deus do que a vós e, enquanto tiver um sopro de vida, enquanto me restar um pouco de energia, não deixarei de filosofar e de vos advertir e aconselhar, a qualquer de vós que eu encontre. Dir-vos-ei, segundo o meu costume: 'Meu caro amigo, és Ateniense, natural de uma cidade que é a maior e a mais afamada pela sabedoria e pelo poder, e não te envergonhas de só curares de riquezas e dos meios de as aumentares o mais que puderes, de só pensares em glória e honras, sem a mínima preocupação com o que há em ti de racional, com *e* a verdade e com a maneira de tornar a tua alma o melhor possível?'

E, se algum de vós me replicar que com tudo isto se preocupa, não o largarei imediatamente, não me irei logo embora, mas interrogá-lo-ei, analisarei e refutarei as suas opiniões e, se chegar à conclusão de que não possui a virtude, embora o afirme, censurá-lo-ei de ter em tão pouca conta as coisas mais 30 preciosas e prezar tanto as mais desprezíveis. Assim farei com todos os que encontrar, novos os velhos, estrangeiros ou cidadãos, mas mais ainda convosco, cidadãos, que estais mais perto de mim pelo sangue. São ordens que recebi do deus, podeis estar certos; e creio que nunca nada foi mais útil à cidade do que o meu ministério ao serviço do deus.

Efectivamente, nas minhas idas e vindas pela cidade, não faço outra coisa senão persuadir-vos, novos e velhos, a que não *b* vos preocupeis mais, nem tanto, com o vosso corpo e as vossas riquezas do que com a vossa alma, para a tornardes o melhor possível, dizendo-vos que não é das riquezas que nasce a virtude, mas que é da virtude que provêm as riquezas e todos os outros bens, tanto públicos como particulares. Se é com estas palavras que corrompo os jovens, é porque elas devem ser prejudiciais; mas, se alguém afirma que não é isto o que eu digo, não fala verdade. Em face disto, dir-vos-ei mais, Atenienses, tanto faz que acrediteis em Ânito como não, podeis absolver-me ou não me absolver, mas a minha atitude no futuro não será modificada, nem que eu tenha de sofrer mil vezes a morte.» *c*

Não comeceis a protestar, Atenienses, conservai-vos calados, como vos pedi, sem clamar contra o que eu disser, ouvindo apenas. Se assim fizerdes, estou convencido de que lucrareis. É que eu vou dizer-vos ainda algumas coisas, capazes talvez de levantar os vossos protestos. Mas evitai proceder assim.

Reparai bem: se me condenardes à morte por ser como acabo de dizer, não me fareis tanto mal como a vós próprios. Não está ao alcance de Meleto ou Ânito prejudicar-me, pouco que seja. Não têm qualquer possibilidade de o fazer: é minha convicção *d* que um homem mau não pode nunca prejudicar um homem de bem. É certo que um acusador pode levar-me à morte, ao exílio ou à perda dos direitos cívicos. E talvez ele, ou outro qualquer, considere estas penas como grandes males, mas não é essa a minha opinião. Mal pior me parece fazer o que o meu acusador hoje faz, tentar levar um homem à morte injustamente. Sendo assim, Atenienses, não é de forma nenhuma a minha *e* defesa que me ocupa neste momento, como alguém poderia pensar, mas a vossa, para que, condenando-me, não cometais o pecado de desprezar a dádiva com que deus vos brindou. Pois se me fizerdes morrer, não achareis facilmente outro homem como eu, ligado a esta cidade pelo deus (perdoai a comparação algo ridícula) como um moscardo a um cavalo grande e de boa raça, que, sendo demasiado lento por causa do seu tamanho, precisa de ser constantemente estimulado. Foi com uma missão semelhante que me parece que o deus me colocou nesta cidade, para vos estimular, persuadir e censurar a cada um de vós, per- 31 seguindo-vos sem cessar o dia inteiro por toda a parte. Não será fácil que encontreis outro homem deste género, Atenienses; por isso, se me acreditardes, poupar-me-eis a vida. Mas talvez vos impacienteis, como pessoas ensonadas a quem acordam, e reagindo com violência, ao mesmo tempo que dando crédito a Ânito, talvez me façais morrer sem hesitações. Depois disto, passareis o resto da vida a dormir, a menos que o deus, preocupado convosco, vos envie alguém semelhante a mim. Ora que *b* eu sou realmente um homem dado pelo deus à cidade, podeis verificá-lo pelo seguinte: num plano puramente humano não seria compreensível que eu tivesse descurado todos os meus interesses pessoais, suportando há já tantos anos as consequências desta atitude, para me dedicar exclusivamente a vós, aproximando-me de cada um em particular, como um pai ou um irmão mais velho, e persuadindo-o a ocupar-se da virtude. E ainda se eu tirasse daqui algum lucro, se os meus conselhos fossem dados em troca de um salário, haveria uma explicação para a minha conduta. Mas vós próprios estais a ver que os meus acusadores, que, com tanto impudor, me atribuem toda a casta de faltas, não tiveram, porém, o descaro de apresentar uma tes- *c* temunha só que fosse para afirmar que me viu receber ou pedir algum salário. É que eu apresento uma testemunha que prova decisivamente, creio eu, a verdade do que afirmo: a minha pobreza.

Mas talvez pareça estranho que eu ande por toda a parte a dar conselhos a cada um em particular e a ocupar-me de tudo, e não ouse apresentar-me diante de vós na assembleia para, publicamente, aconselhar a cidade. A explicação deste facto, como muitas vezes e em muitos lugares me tendes ouvido dizer, está na manifestação em mim de algum deus ou espírito divino *d* que Meleto toma por alvo da sua troça no acto de acusação. E, no entanto, o que quer que é começou na minha infância, sob a forma de uma certa voz, que, quando se faz ouvir, sempre me desvia de algo que tenciono fazer, sem me incitar nunca à acção. É isto que me impede de me consagrar à política. E parece-me que o faz bem a propósito, porque a verdade é esta, Atenienses, se eu me tivesse dedicado há muito tempo à política, há muito tempo teria morrido e não teria podido ser útil nem a vós nem *e* a mim próprio. Não me leveis a mal estas palavras: qualquer homem que, generosamente, se oponha a vós ou a outra assembleia popular para impedir que se cometam na cidade muitas injustiças e ilegalidades não tem hipótese de se salvar. Quem 32 está realmente empenhado em lutar pela justiça e quer conservar a vida algum tempo, tem necessariamente de se manter simples particular, não pode ocupar-se de negócios públicos.

Mas vou apresentar-vos boas provas do que afirmo: não serão raciocínios, mas o que mais apreciais, serão factos. Ouvi, pois, o que me aconteceu e convencer-vos-ei de que não sou homem para ceder a ninguém contra a justiça por medo da morte e de que, procedendo assim, era irremediável a minha perda. As minhas palavras terão o sabor petulante dos discursos forenses, mas serão verdadeiras.

b Na realidade, Atenienses, nunca exerci qualquer cargo público na cidade, a não ser o de membro do Conselho([23]). E por acaso era a tribo Antióquide, a que pertenço, que exercia a pritania([24]), quando quisestes julgar em conjunto os dez generais que não tinham recolhido os mortos depois do combate naval([25]): procedimento ilegal, como por vós foi posteriormente reconhecido. Fui então eu o único dos prítanes que tentou impedir-vos de violar a lei, e votei sozinho contra vós. E, embora os oradores estivessem prontos a acusar-me junto das autoridades e a levar-me a tribunal, apesar das vossas exortações e dos vossos *c* gritos, entendi que era preferível correr todos os riscos com a lei e a justiça a apoiar-vos nas vossas deliberações injustas, por medo da prisão ou da morte.

Isto ocorreu quando a cidade tinha ainda um governo democrático. Mas, quando foi instaurada a oligarquia, os Trinta([26]) mandaram-me chamar à Tholos([27]) com mais quatro cidadãos e ordenaram-nos que fôssemos a Salamina buscar Léon([28]), natural desta ilha, para lhe darem a morte. Ordens deste género eram frequentemente dadas por eles a muitos outros para tornar seus *d* cúmplices o maior número possível de cidadãos. Uma vez mais demonstrei então, não por palavras mas por obras, que a morte não me incomodava absolutamente nada — perdoem-me a dureza da expressão —, o que me preocupava acima de tudo era não fazer nada injusto ou ímpio. Pois esta autoridade, poderosa como era, não conseguiu forçar-me a cometer, por medo, uma injustiça. Quando saímos da Tholos, os outros quatro partiram

([23]) *Vide supra*, nota 11.

([24]) No Conselho dos 500 estavam representadas as 10 tribos de Atenas, à razão de 50 membros por tribo. A direcção deste conselho, ou pritania, era exercida alternadamente, em períodos iguais, pelos representantes de cada tribo, que então recebiam o nome de prítanes.

([25]) Trata-se da batalha naval das Arginusas, em que os Atenienses derrotaram os espartanos no ano 406 a.C. A intervenção corajosa de Sócrates não impediu que o julgamento fosse feito em bloco, contra a lei, donde resultou a morte de 6 dos acusados, entre os quais se contava um filho de Péricles.

([26]) Em 404 a.C. inicia-se em Atenas o governo dos chamados Trinta Tiranos, impostos por Esparta, vencedora da Guerra do Peloponeso.

([27]) A Tholos era uma casa, de tecto em cúpula, onde os prítanes tomavam as suas refeições.

([28]) Léon, cuja riqueza e importância provocaram o ódio dos Trinta, morreu, sem julgamento, em consequência da acção descrita no texto.

para Salamina donde trouxeram Léon e eu voltei para minha casa. E talvez esta atitude me viesse a custar a vida, se o governo dos Trinta não tivesse sido derrubado pouco depois([29]). Estes factos poderão ser testemunhados por muitas pessoas. *e*

Nestas circunstâncias, pensais que eu teria vivido tantos anos, se tivesse desempenhado um cargo público, principalmente se, desempenhando-o duma forma digna dum homem de bem, defendesse os interesses da justiça, pondo-os, como deve ser, acima de tudo? Muito longe disso, Atenienses: nem eu, nem ninguém. Ora em toda a minha vida, nas funções públicas que proventura exerci, sempre procedi deste modo, e do mesmo modo tenho procedido em particular, sem jamais ceder um palmo em questões de justiça, nem tratando-se de qualquer daqueles que os meus caluniadores dizem que são meus discípulos. 33

Na realidade, eu nunca fui mestre de ninguém. Mas, sempre que uma pessoa, nova ou velha, mostrou desejo de me ouvir ou de me ver realizar as minhas acções, nunca me opus a isso. E não é o caso de conversar apenas com aqueles que pagam, recusando-me a conversar com os que não pagam. Pelo contrário, *b* estou sempre pronto a ser interrogado por ricos e pobres, indiferentemente, ou então a fazer-lhes perguntas, se preferem ouvir e responder. Se, pois, algum se torna virtuoso ou corrupto, não é justo que me atribuam a responsabilidade do caso, uma vez que eu nunca prometi ensinar nem ensinei nada a ninguém. E se alguém afirma que aprendeu comigo ou me ouviu alguma coisa em particular diferente do que disse a todos os outros, podeis estar certos de que não fala verdade.

Mas porque será que algumas pessoas gostam de passar *c* muito tempo comigo? Já vo-lo expliquei, Atenienses, com a maior sinceridade: é que lhes agrada ouvir-me examinar aqueles que julgam que são sábios, sem o ser. De facto, isto não é desagradável. Mas para mim, como já vos disse, trata-se aqui de cumprir uma ordem do deus, transmitida por meio de oráculos, sonhos, enfim, por todos os meios de que jamais uma vontade divina se serviu para prescrever algo a um homem.

Tudo isto, Atenienses, é verdade e fácil de verificar. Efectivamente, se eu ando a corromper alguns jovens e já corrompi *d*

([29]) A democracia foi restaurada em 403, graças à acção de Trasibulo.

outros, alguns destes terão, por certo, reconhecido, com a idade, que lhes dei maus conselhos na sua juventude, e nesse caso deveriam apresentar-se hoje aqui para me acusar e exigir a minha punição. Ou então, se estes não o quisessem fazer, deveriam os seus familiares, pais, irmãos ou outros parentes, lembrar-se do mal que lhes causei e requerer a minha condenação. Ora precisamente vejo aqui presentes muitos deles: em primeiro *e* lugar, Críton, homem da minha idade e do mesmo demo que eu, pai de Critobulo, também aqui presente; depois, Lisânias, de Esfeto, com seu filho Ésquines; vejo ainda Antifonte de Cefísia, pai de Epígenes; há outros ainda, cujos irmãos participaram do meu convívio; Nicóstrato, filho de Teozótides e irmão de Teódoto — mas Teódoto morreu, já não pode dirigir ao irmão as suas súplicas —; Páralo, filho de Demódoco, que era irmão 34 de Teages; Adimanto, filho de Aríston, com seu irmão Platão(30); e Eantodoro, com seu irmão Apolodoro. E poderia citar-vos ainda muitos outros, dos quais Meleto bem podia ter citado um como testemunha, na sua acusação. Se foi por esquecimento que o não fez, faça-o agora. Pela minha parte estou de acordo. Nomeie a sua testemunha, se tem possibilidades disso. Mas é precisamente o contrário, Atenienses, que podereis verificar: todos estes homens estão prontos a defender-me, a mim que cor- *b* rompo, que faço mal aos seus parentes, como afirmam Meleto e Ânito. Podem aqueles que foram corrompidos por mim ter acaso uma razão para me defender, mas os parentes destes, homens já maduros que eu não corrompi, que outro motivo poderá levá-los a defender-me senão o direito e a justiça e a convicção de que Meleto mente, ao passo que eu digo a verdade?

Em conclusão, juízes, estas são mais ou menos as razões que eu poderia invocar em minha defesa, e outras que acrescentasse *c* seriam acaso do mesmo género. Mas talvez algum de vós se irrite contra mim, ao recordar que, tendo-se visto um dia a braços com um processo muito menos grave do que este, dirigiu preces e súplicas aos juízes, com muitas lágrimas, apresentando,

---

(30) Nesta lista de amigos fiéis saliente-se a presença de Críton, que deu o nome a um diálogo platónico, e, particularmente, de Platão, o discípulo de Sócrates que havia de legar à posteridade a imagem mais verdadeira do mestre e que faz questão de se saber que não faltou neste momento crucial.

além de muitos parentes e amigos, os seus próprios filhos, para suscitar ao máximo a compaixão, enquanto eu não faço nada disto([31]), apesar de, como parece evidente, me encontrar exposto ao maior perigo. Talvez alguém, fazendo esta reflexão, se indisponha contra mim e, irritado com a minha atitude, vote em função da sua cólera. Se algum de vós se encontra nesta disposição — o que não é de crer —, admitindo esta hipótese, creio que poderei dizer-lhe com toda a razão: «também eu, meu caro amigo, tenho, sem dúvida, parentes, pois, para usar a expressão de Homero, 'não nasci de um carvalho nem de um rochedo' ([32]), mas de seres humanos; consequentemente, tenho parentes e mesmo três filhos, ó juízes, dos quais um é já adolescente e os outros dois são crianças. No entanto, não farei vir nenhum deles aqui, do mesmo modo que não vos pedirei que voteis a absolvição.» *d*

Porque é que eu não faço nada disto? Não é por uma questão de arrogância, Atenienses, nem por falta de respeito por vós. Se tenho ou não medo da morte, isso é outra questão. Mas não me parece que convenha à minha dignidade, e à vossa e à da cidade, que eu proceda dessa maneira, na idade a que cheguei e com a reputação que tenho, merecida ou não, porque enfim é coisa assente que Sócrates se distingue em alguma coisa da maioria dos homens. Ora seria uma vergonha se aqueles que entre vós parecem distinguir-se pela sua sabedoria, pela sua coragem ou qualquer outra virtude, se portassem como muitos que tenho visto, homens de grande prestígio que, ao serem julgados, adoptam atitudes inconcebíveis: parece que cai sobre eles um mal terrível, se tiverem de morrer. É como se estivessem convencidos de que seriam imortais, se os não condenásseis à morte. Em minha opinião, estes homens envergonham a cidade e autorizam mesmo um estrangeiro a pensar que os Atenienses que se distinguem pelo mérito, aqueles que os seus concidadãos escolhem entre todos para os elevar às magistraturas e às outras *e* 35 *b*

([31]) Esta alusão incómoda a práticas destinadas a influenciar, eficazmente, a decisão dos juízes podia, como é natural, indispor estes contra Sócrates. O filósofo, porém, não está interessado em pedir benevolência, mas justiça.

([32]) Pensamento extraído do v. 163 do canto XIX da *Odisseia*, em que Penélope, que ainda não reconheceu Ulisses, se mostra interessada na identidade do desconhecido.

honras, não são mais corajosos que mulheres. Portanto, Atenienses, eis o que nós não devemos fazer, por pouco que seja o nosso merecimento e, se o fizermos, não deveis consenti-lo, mas antes mostrar com clareza que condenareis muito mais facilmente aqueles que representam diante de vós estes dramas impressionantes, em que cobrem a cidade de ridículo, do que aqueles que se comportam com moderação.

Mas, independentemente da questão de dignidade, não me *c* parece justo, Atenienses, dirigir súplicas a um juiz nem ser absolvido à custa de pedidos, em vez de expor os factos e tentar persuadi-lo. Pois o juiz não ocupa o seu lugar para sacrificar a justiça ao favor, mas para decidir o que é justo. Ele jurou, não que favoreceria quem lhe agradasse, mas que julgaria segundo as leis. É por isso que não deveis acostumar-nos nem acostumar-vos ao perjúrio. Uns e outros seríamos culpados de impiedade.

Não espereis, pois, Atenienses, que eu vá assumir diante de *d* vós atitudes que não me parecem honrosas, nem justas nem conformes ao respeito que se deve aos deuses; sobretudo, por Zeus, numa altura em que sou réu num processo de impiedade, que me move Meleto, aqui presente. Pois é bem evidente que, se eu conseguisse persuadir-vos, com as minhas preces, a violar o vosso juramento, ensinar-vos-ia a não acreditar na existência dos deuses e, ao mesmo tempo que me defendia, estaria de facto a acusar-me de não acreditar neles. Mas as coisas são muito diversas. A verdade, Atenienses, é que eu creio nos deuses mais do que qualquer dos meus acusadores e por isso me confio a vós e à divindade para decidirem a meu respeito, da maneira que for mais vantajosa para mim e para vós.

SEGUNDA PARTE

DECLARADO CULPADO, SÓCRATES SUGERE A PRÓPRIA PENA

Tenho muitas razões, Atenienses, para não me revoltar contra o facto da minha condenação. De resto, o que se passou é algo que eu já esperava. O que, pelo contrário, me causa grande admiração é a maneira como os votos se repartiram contra mim e a meu favor. Nunca pensei que a diferença fosse tão pequena, sempre esperei uma maioria forte. Ora, se não erro as contas, bastaria que eu tivesse recebido apenas mais trinta([33]) votos para ser absolvido. Creio, pois, que posso afirmar que, no que se refere a Meleto, alcancei a absolvição; mais ainda, todos percebem claramente que, se não fosse a acusação de Ânito e Lícon, aquele teria sido condenado a uma multa de mil dracmas, por não ter obtido um quinto dos votos([34]).

e
36

b

Propõe este homem a minha condenação à morte. Seja assim! Pela minha parte, que pena atribuirei a mim próprio([35]), Atenienses? É evidente que devo propor a que mereço. Mas qual? Que pena devo eu sofrer ou que multa pagar, por ter, conscientemente, renunciado a uma vida tranquila, desprezando aquilo que a maioria procura, dinheiro, interesses privados, cargos militares, êxitos de orador, magistraturas, uniões e divisões políticas; por ter considerado que era demasiado escrupuloso para me salvar, se enveredasse por esse caminho; por não ter escolhido a orientação que seria de nula utilidade para vós e para mim; por ter adoptado um género de vida que me permitiu prestar a cada um de vós, em particular, aquilo que eu considero o maior dos serviços, se pude convencer-vos que é mais importante cada

c

([33]) A totalidade dos votos no julgamento de Sócrates foi de cerca de 500.

([34]) Esta medida destinava-se a evitar incómodos aos cidadãos por acusações infundadas.

([35]) Era de lei que o acusado se pronunciasse sobre a pena que julgava merecer. O tribunal decidiria entre esta e a proposta pela acusação.

d um cuidar de si próprio do que daquilo que lhe pertence, de forma a tornar-se o melhor e mais sábio possível, não se preocupando tanto com as coisas da cidade como com a própria cidade e procedendo da mesma maneira com todo o resto? Que pena mereço eu, pois, por ter agido assim? Acho que uma recompensa, Atenienses, se se quiser tratar-me verdadeiramente com justiça, e uma recompensa que me esteja de facto indicada. Ora que é que pode convir a um homem pobre, vosso benfeitor, que precisa de estar livre de cuidados para vos aconselhar? Nada melhor para um homem destes que ser alimentado no Pritaneu(36)! E seguramente que ele merece isto muito mais do que um qualquer que tenha sido vencedor em Olímpia com um cavalo, uma biga ou uma quadriga. É que este faz-vos parecer felizes e eu faço-vos ser felizes. Além de que ele não precisa

e que o alimentem e eu preciso. Portanto, se me é lícito propor o que mereço, segundo a justiça, proponho o seguinte: ser ali-

37 mentado no Pritaneu.

Mas talvez estas minhas palavras vos pareçam, exactamente como as que proferi acerca da comiseração e das súplicas, inspiradas pela presunção. Não se trata, porém, disto, Atenienses, a questão é a seguinte: estou persuadido de que nunca fiz mal a ninguém voluntariamente. Mas disto não consigo convencer-vos tão pouco foi o tempo que tivemos para conversar. Penso que,

b se entre vós vigorasse a mesma lei de outros povos(37), que impede de julgar num só dia um processo capital, exigindo para o efeito várias sessões, eu teria sido capaz de vos convencer. Tal como as coisas estão, não é, porém, fácil destruir em pouco tempo calúnias tão poderosas.

Convencido de que não faço mal a ninguém, tão-pouco quero fazer mal a mim próprio e não estou disposto a reconhecer contra mim que sou digno de castigo, indo ao ponto de me sentenciar a uma pena qualquer. Só se fosse por medo, mas de quê?

---

(36) O Pritaneu era o edifício onde se guardavam as leis de Sólon e se alimentavam, à custa do Estado, os generais vitoriosos, os vencedores dos jogos olímpicos em dum modo geral, os beneméritos da cidade. A atitude de Sócrates, neste momento, só podia ser sentida como uma provocação e, no entanto, encerrava uma verdade profunda.

(37) Era, por ex., o caso de Esparta.

Da pena que me é proposta por Meleto? Mas se eu acabo de dizer que não sei se ela é um bem ou um mal, como irei eu escolher aquilo que já sei que é mal, sujeitando-me eu próprio a essa condenação? Escolherei a prisão? Mas porque hei-de eu viver encarcerado, sempre escravo do poder dos Onze([38]), que todos os anos se renova? Preferirei uma multa e a prisão até a ter pago? Mas isto acabava por ser o mesmo que disse há pouco, uma vez que não tenho dinheiro para pagar. Seria melhor o exílio? Esta seria talvez uma pena com que concordaríeis. Mas grande teria de ser o meu amor à vida para eu ser tão insensato que não fizesse a seguinte reflexão: vós, que sois meus concidadãos, não fostes capazes de suportar as minhas conversas e os meus discursos, que se vos tornaram tão importunos e odiosos que procurais agora libertar-vos deles. E poderiam outros suportá-los facilmente? Muito longe disso, Atenienses.

c

d

Seria, realmente, uma vida agradável a minha, Atenienses, se saísse de Atenas para viver errando de cidade em cidade, banido de todas! Sei bem que, para onde quer quer vá, os jovens hão-de querer ouvir-me, como aqui. E, se os afastar de mim, serão eles próprios a expulsar-me para o que persuadirão os cidadãos mais velhos; se não os afastar, serão os seus pais e parentes que me expulsarão por causa deles.

e

Observar-me-ão, talvez: «Mas, Sócrates, uma vez que saias desta cidade, não serás capaz de viver em silêncio e em tranquilidade?» Eis justamente o mais difícil de fazer compreender a alguns de vós. Se disser que isso seria desobedecer ao deus e que por isso seria impossível manter-me inactivo, não me acreditareis e pensareis que estou a ironizar. Se, por outro lado, disser que o maior bem para um homem consiste em discorrer todos os dias sobre a virtude e outros temas sobre os quais me tendes ouvido conversar, examinando-me a mim próprio e aos outros, e que uma vida sem este exame não é digna de ser vivida, ainda menos me acreditareis. No entanto, juízes, o que vos digo é a verdade, embora não seja fácil convencer-vos disso. De qualquer maneira, não estou habituado a julgar-me digno de qualquer pena.

38

([38]) Os Onze eram os magistrados que exerciam funções de polícia e superintendiam nas questões prisionais.

b Ainda se eu tivesse dinheiro, propor-vos-ia que me aplicásseis uma multa que pudesse pagar. Pouca diferença me faria. Mas nas minhas circunstâncias... porque enfim não tenho nada... A menos que estejais dispostos a condenar-me ao pagamento de uma importância ao alcance das minhas posses, o que para mim significaria algo como uma mina[39] de prata. Exactamente, é esta multa a que me condeno.

Entretanto, Atenienses, estão aqui Platão, Críton, Critobulo e Apolodoro que me incitam a propor-vos uma multa de trinta minas, oferecendo-se como meus fiadores. Esta será, pois, a soma que vos proponho e os meus fiadores são pessoas dignas de toda a confiança.

---

[39] *Vide supra*, nota 5.

TERCEIRA PARTE

CONDENADO À MORTE, SÓCRATES JULGA OS SEUS JUÍZES

Apenas por não terdes sabido esperar um pouco, Atenienses, ganhareis uma péssima reputação. Os que querem caluniar a nossa cidade hão-de acusar-vos de ter dado a morte a Sócrates, homem notável pela sua sabedoria; pois, para vos censurar, dirão que eu era sábio, embora o não seja. E no entanto, se tivésseis esperado um pouco, as coisas aconteceriam naturalmente. Considerai a idade em que estou, tão avançada na vida, tão próxima da morte. Não é a vós que estou a dirigir-me, mas apenas aos que me condenaram à morte. *c* *d*

A estes direi o seguinte: talvez penseis, Atenienses, que fui condenado por não ter recorrido àqueles discursos com que vos podia ter persuadido, se eu achasse que me era lícito fazer e dizer tudo para escapar a uma condenação. Grande engano! Se fui condenado, não foi por falta de discursos, mas de audácia e impudência, foi por não ter usado aquela linguagem que gostaríeis de ouvir, por não ter chorado, gemido, feito e dito aquelas coisas indignas de mim, que há pouco referi e que vós estais habituados a ouvir a outros acusados. Mas entendi que não devia, por causa do perigo, proceder de maneira indigna dum homem livre e, por isso, não me arrependo da defesa que apresentei. *e*

Prefiro morrer depois de semelhante apologia a viver por um preço desses! Nem no tribunal nem na guerra é lícito a alguém, a mim ou a outra pessoa, recorrer a todos os meios para escapar à morte. Efectivamente, todos sabem que é muitas vezes fácil evitar a morte em combate, lançando fora as armas e dirigindo súplicas aos perseguidores. Da mesma maneira, em todos os outros perigos, há muitos processos de uma pessoa escapar à morte, desde que esteja resolvida a fazer e a dizer tudo. Talvez não seja, por isso, difícil, Atenienses, evitar a morte, muito mais 39

difícil é conseguir não praticar o mal. E o mal persegue-nos mais
b rápido do que a morte. Assim se compreende que, lento e velho como sou, me tenha deixado apanhar pelo mais lento destes corredores, ao passo que os meus acusadores, que são fortes e ágeis, se deixaram apanhar pelo mais rápido, que é o mal. Vamos, pois, sair daqui, eu, condenado por vós à morte, eles, condenados pela verdade à infâmia e à injustiça. Pela minha parte aceito a minha pena, tal como eles aceitam a deles. Certamente era preciso que as coisas se passassem assim e eu creio que tudo está certo.

c Quanto ao futuro, há, porém, algo que desejo profetizar-vos, juízes que me condenastes. Na verdade, encontro-me agora nas circunstâncias em que os homens mais facilmente adquirem dons de profecia, nas vésperas de morrer([40]). Digo-vos, pois, a vós que decidistes a minha morte, que, logo depois de eu morrer, sofrereis um castigo bem mais duro, por Zeus, do que aquele que me infligistes. Agora procedeis assim, convencidos de que vos libertais da análise a que submeto a vossa vida, mas posso garantir-vos que é precisamente o contrário que vai acontecer.
d Serão em maior número os que vos hão-de analisar. Até agora era eu que os continha, sem que vós disso vos apercebêsseis, mas serão tanto mais severos quanto são mais novos, e por isso há-de ser maior a vossa indignação. Se pensais que é a matar as pessoas que impedis que vos censurem por viverdes mal, não estais a raciocinar muito bem. Tal processo de evitar as censuras não é, de modo algum, possível nem honesto; o meio mais honroso e fácil não será nunca reduzir os outros ao silêncio, mas trabalhar no sentido de ser o mais virtuoso possível. Era isto que eu tinha a profetizar àqueles de vós que me condenaram. De todos estes aqui me despeço.

e Quanto àqueles que me absolveram, gostaria ainda de falar com eles sobre os factos aqui ocorridos, enquanto os Onze estão ocupados e não me fazem conduzir ao lugar onde devo morrer. Ficai, pois, ainda um pouco, Atenienses. Nada nos impede de

---

([40]) A crença de que um homem, quando estava para morrer, revelava dons especiais de profecia, relacionava-se com a concepção de «alma» (psychê), que redobrava de actividade no momento em que estava para se libertar do corpo.

conversar enquanto isso me é permitido. A vós, que mostrastes que sois meus amigos, quero apresentar a minha interpretação dos factos que actualmente me acontecem. 40

Passou-se hoje comigo, juízes — o nome de juízes pertence-vos de pleno direito—, uma coisa bem extraordinária. A minha voz profética habitual, a voz da divindade, tem sido muito frequente em mim até ao presente, marcando a sua oposição, mesmo em pequenas coisas, sempre que me dispus a fazer o que não era bem. Agora, porém, que, como vedes, me acontece o que se poderá considerar e normalmente se considera o maior *b* dos males, nem ao sair de casa pela manhã, nem quando subi a este tribunal, nem enquanto estive no uso da palavra, a voz divina me deteve. E no entanto, em muitas circunstâncias, muitas vezes me interrompeu no meio dos meus discursos. Mas hoje, no decurso deste processo, não esboçou a mínima oposição às minhas acções ou às minhas palavras. A que hei-de atribuir isto? Vou dizer-vos o que penso. É que muito provavelmente isto que me acontece é um bem e estamos certamente *c* longe da verdade quando julgamos que a morte é um mal. O que se passou comigo é a melhor prova deste facto. Efectivamente, a minha voz interior habitual não teria deixado de se opor, se eu estivesse para praticar algo que não fosse bom.

Pensemos agora na grande esperança que há de que a morte seja um bem. Na realidade, com a morte tem de acontecer uma de duas coisas: ou o que morre se converte em nada e, portanto, fica privado para sempre de qualquer sentimento, ou, segundo se diz, a alma sofre uma mudança e passa deste para outro lugar.

Se todo o sentimento cessa e o que há é como um sono, em *d* que nada se vê, nem em sonho, então a morte será um benefício maravilhoso. Pois se alguém, considerando à parte uma noite assim, em que tivesse dormido um sono sem sonhos, e comparando-a com as outras noites e dias da sua vida, tivesse de decidir quantos dias e noites tinha vivido mais agradáveis do que aquela, estou convencido de que essa pessoa, quer se tratasse de um simples particular, quer fosse mesmo o grande rei (41), acharia muitos poucos dias e noites nestas condições. Se a morte é, *e*

(41) Este «grande rei» é o rei da Pérsia, que, aos olhos dos Gregos, simbolizava a riqueza, o fausto e o despotismo.

pois, uma coisa deste género, digo que é um lucro real, porque então o tempo todo não parece ser mais do que uma só noite.

Pelo contrário, se a morte é como uma partida daqui para outro lugar, e é verdade o que se diz, que todos os que morrem se reúnem lá, que bem maior se poderá desejar, ó juízes? Pois se alguém, chegando ao reino de Hades, liberto do poder destes homens que se dizem juízes, ali encontrar os juízes verdadeiros, aqueles que, segundo se diz, ali administram a justiça, Minos, Radamanto, Éaco, Triptólemo([42]), e todos aqueles semideuses que foram justos durante a vida, achais que terá sido sem interesse a viagem? Quanto não daria cada um de vós para poder estar com Orfeu, Museu([43]), Hesíodo e Homero? Pela minha parte, se isto é verdade, não me importaria de morrer muitas vezes. Que tempo maravilhoso passaria quando encontrasse Palamedes, Ájax([44]), filho de Télamon, ou outro qualquer herói dos velhos tempos que morreu vítima de uma sentença injusta! Não seria nada desagradável, penso eu, comparar os meus infortúnios com os deles. Mas o mais agradável de tudo seria passar o meu tempo, como aqui, a examinar e a interrogar todas estas personagens, para julgar qual delas é sábia e qual julga que o é, sem o ser. Quanto se não pagaria, juízes, para examinar aquele([45]) que levou contra Tróia o grande exército, ou Ulisses, ou Sísifo([46]), e tantos outros homens e mulheres que se poderia

b

c

([42]) Minos, Radamanto e Éaco, filhos de Zeus, pelas virtudes de que foram espelho na Terra, foram escolhidos para juízes no Além. A estas personagens, normalmente associadas por esta função (Cf. *Górgias*, 523e-524a), junta-se excepcionalmente no texto a figura do Triptólemo, pertencente ao domínio dos mistérios de Elêusis.

([43]) Orfeu e Museu são personagens míticas intimamente relacionadas na fundação dos mistérios órficos.

([44]) Palamedes e Ájax foram heróis gregos, cuja morte se ficou a dever a sentenças injustas: o 1.º, falsamente acusado de trair os Gregos com Príamo, rei de Tróia, foi condenado à pena de lapidação; o 2.º, desesperado por não lhe terem sido atribuídas as armas de Aquiles, após a morte deste herói, suicidou-se.

([45]) Sócrates refere-se a Agamémnon, comandante supremo da expedição que foi a Tróia para vingar o rapto de Helena.

([46]) Ulisses, o herói «dos mil expedientes» da *Odisseia*, e Sísifo, que a *Ilíada* cita como «o mais hábil dos homens» (VI, 153), são símbolos de inteligência e astúcia, que Sócrates naturalmente considera como interlocutores ideais.

citar! Conversar com eles, gozar do seu convívio, examiná-los, seria de uma felicidade sem par. E não se corre o risco de ser, por isso, condenado à morte... Mais felizes do que nós sob todos os aspectos, os habitantes do Hades ainda têm a vantagem de serem imortais, pelo menos se o que se diz é exacto.

Também vós, juízes, deveis como eu ter esperança na morte e tomar consciência desta verdade, que nenhum mal pode acontecer a um homem de bem, nem em vida, nem depois de morrer, e que nunca os deuses se desinteressam da sua sorte. O que acaba de me acontecer não pode ser fruto do acaso; pelo contrário, para mim é evidente que me é mais vantajoso morrer agora e libertar-me assim dos cuidados da vida. É por isso que a minha voz interior nunca me deteve e daqui deriva também que eu não tenha qualquer ressentimento contra os que me condenaram nem contra os que me acusaram. É verdade que outra era a sua intenção quando me acusaram e me condenaram; pensaram prejudicar-me e nisto são dignos de censura. *d*

De qualquer modo, só vos peço uma coisa: quando os meus filhos forem homens, Atenienses, castigai-os com os mesmos tormentos que vos dei, se vos parecer que preferem a riqueza, ou o que quer que seja, à prática da virtude. E, se eles se convencerem de que têm valor, sem o terem, censurai-os, como eu vos censurei, por não zelarem o essencial, por se atribuírem um mérito que na realidade não possuem. Se assim fizerdes, sereis justos comigo e com os meus filhos. *e* 42

Mas são horas de nos separarmos, eu, para morrer, e vós, para viver. Qual de nós vai ter a melhor sorte, ninguém sabe, a não ser a divindade.

CRÍTON

INTRODUÇÃO

O dia da execução de Sócrates está para breve e o filósofo é visitado na cadeia por Críton, discípulo devotado, que lhe vem apresentar um plano seguro de evasão. Entre os dois amigos trava-se um diálogo dramático, o mais importante de todos aqueles em que, ao longo de 70 anos, Sócrates participou, porque nele se debate um problema de vida ou de morte. A dialéctica de Sócrates consegue vencer o adversário, mas poderá considerar-se vitória esta supremacia de argumentos que conduz o vencedor à morte? A análise do diálogo dará resposta a esta pergunta.

A argumentação de Críton funda-se, em primeiro lugar, no pensamento de que há que ter em conta a opinião da maioria, porque é ela que constrói as reputações e a reputação dos amigos de Sócrates está em jogo neste caso. Se a evasão de Sócrates é apenas um problema de dinheiro, como hão-de os discípulos deste explicar, sem desonra, o facto de não terem fornecido ao filósofo os meios materiais de se evadir? E, se este não quer preocupar-se com os amigos, pense ao menos nos filhos, que vai deixar órfãos, com a sua teimosia em se deixar matar. E, supremo argumento, esta morte é o desfecho dum processo iníquo, em que foi proferida uma sentença injusta. Há alguma lei que obrigue um homem a submeter-se à injustiça?

Se os argumentos iniciais deixaram Sócrates pouco mais que indiferente, o que explica que não gaste muito tempo na sua refutação, o mesmo não acontece com o último argumento, que invoca razões intimamente relacionadas com princípios que defendeu durante toda a sua vida. Na discussão de tais razões empenha todas as forças que animam este diálogo.

Sócrates começa por uma espécie de declaração prévia: sempre o seu comportamente foi fundado na razão e não será o receio da morte que o fará modificar a sua atitude.

Há depois um princípio inalterável que informa, desde sempre, o seu pensamento e a sua acção: «o que verdadeiramente importa não é viver, mas viver bem.» (48b). E viver bem, conforme se explica a seguir, é viver segundo a justiça. Deste modo, a questão crucial para Sócrates é a seguinte: será justo evadir-me?

Pela boca das leis, que Sócrates imagina personificadas, será dada a resposta de que a fuga da prisão seria injusta porque a recusa ao cumprimento da lei, expressa numa sentença dum tribunal, poria em causa o próprio fundamento da sociedade, assente na lei. A vida social, concebida como um contrato entre o Estado e o indivíduo, seria destruída se estivesse à mercê do arbítrio de uma das partes, exclusivamente determinada pelo seu interesse. Sócrates defende que o respeito de um cidadão pelo acordo firmado com as leis da sua cidade é um princípio sagrado, cuja validade se projecta para além da própria vida terrena: é que as leis da cidade são «irmãs» (54c) das leis do Hades, a que o homem terá de se submeter após a morte.

Mas que relação tem tudo isto com a injustiça da sentença que condenou Sócrates à morte? Um ponto alto da argumentação do filósofo é o de que não lhe é lícito concorrer, pela sua conduta, para a destruição das leis da cidade, visto que estas estão inocentes da condenação de que ele foi vítima. Das leis, reconhecidamente boas, pode ser feito um mau uso: «Se deixares esta vida agora, morrerás vítima de uma injustiça, praticada não por nós, as Leis, mas pelos homens» (54c). Este facto não autoriza, porém, o cidadão a desrespeitar a sentença dum tribunal: ao sujeitar-se a um julgamento, ele aceita implicitamente a falibilidade do juízo dos homens a quem cabe interpretar as leis.

Mas não estará esta sujeição incondicional às leis, aqui defendida por Sócrates, em contradição com uma famosa atitude que ele tomou durante o governo dos Trinta Tiranos?

Recorda Sócrates na *Apologia* (32 c-d) que, tendo recebido dos Trinta a ordem de ir a Salamina, com mais quatro cidadãos, buscar Léon, para o matarem sem julgamento, desobedeceu a esta ordem, com risco da própria vida. Enquanto os outros se dirigiam à Salamina para desempenharem a sua missão, Sócrates retirou-se para sua casa, indiferente às consequências do seu acto de rebeldia. E acrescenta Sócrates: «E talvez esta atitude me viesse a custar a vida, se o governo dos Trinta não tivesse sido derrubado pouco depois».

Este episódio serve-nos para iluminar o pensamento de Sócrates em relação ao valor das leis: as ordens arbitrárias dos tiranos não vinculam os cidadãos. Esta atitude de desobediência poderá ajudar-nos ainda a compreender a aparente contradição entre o comportamento de Sócrates, no *Críton*, e o comportamento de Antígona, na peça do mesmo nome de Sófocles.

Antígona é a jovem heroína que se revolta contra o édito do soberano Creonte, seu tio, que proíbe dar sepultura a Polinices, irmão de Antígona, morto em combate contra Tebas. Ao prestar honras fúnebres ao irmão, Antígona sabe que infringe a lei do Estado, mas fá-lo em nome da obediência a leis mais altas, as leis divinas. É evidente para quem lê a peça que o autor distingue claramente entre justiça e injustiça e que, num conflito de direitos aparentemente iguais, é o direito familiar, defendido pela princesa mártir, que se identifica aos seus olhos com a justiça. Divergirão, em matéria tão importante, os pensamentos de Sócrates e Sófocles? Parece que não. Recorde-se que, no caso de Sócrates, não há oposição entre as leis do Estado e as leis divinas, em vigor no Hades. A obediência não se encontra, assim, dilacerada entre dois deveres. A situação de Antígona é diferente porque se encontram em presença leis contrastantes e inconciliáveis, uma das quais resulta do arbítrio de uma vontade tirânica de poder. Também Sócrates, em face de uma decisão despótica, claramente ilegal, não hesitou em desobedecer: as suas mãos ficaram limpas no assassínio de Léon.

Não há, portanto, contradição entre o *Críton* e a *Antígona* no que concerne à atitude do homem perante a lei: em ambos os casos se verifica o sacríficio da vida na obediência à lei que a consciência individual identifica com a justiça.

Este papel da consciência individual na solução da problemática equacionada pelo *Críton* deve ser salientado para uma correcta interpretação do diálogo, Não se trata aqui da defesa, em abstracto, de um princípio de obediência às leis do Estado, aplicável em qualquer tempo a qualquer cidadão. Platão não está neste momento, interessado na construção duma tese de alcance universal. É o caso particular de Sócrates que o ocupa, é o desejo de apresentar a morte do filósofo, não como resultado evitável de um acaso infeliz, mas como a consequência natural duma vida consagrada à filsofia, no contexto específico da Atenas do séc. V a.C.

Regressando, para concluir, à pergunta formulada no início desta Introdução, poderemos dizer que a morte de Sócrates é a justificação ideal, pela acção livremente assumida, de um pensamento que se desenvolveu com perfeita coerência ao longo de 70 anos, que tantos durou a existência do filósofo. E se houve da parte de Sócrates, não obstante as circunstâncias particularmente adversas, a capacidade de terminar a vida em obediência perfeita aos altos princípios morais que sempre o nortearam, poderá duvidar-se que a morte do filósofo constituiu realmente uma autêntica vitória?

CRÍTON

Figuras do Diálogo:

SÓCRATES E CRÍTON

SÓCRATES

Críton, porque vieste a esta hora? Não é ainda muito cedo? 43

CRÍTON

É realmente cedo.

SÓCRATES

Que horas são?

CRÍTON

Começa a raiar a madrugada.

SÓCRATES

Admiro-me como o guarda da prisão te deixou entrar.

CRÍTON

Já é meu conhecido, Sócrates, pelas muitas vezes que aqui venho; além disso, também me deve alguns favores.

SÓCRATES

Chegaste há pouco ou há muito?

CRÍTON

Há um bom bocado.

SÓCRATES

b Então porque não me acordaste logo, em vez de ficares aí sentado, em silêncio?

CRÍTON

Por Zeus, Sócrates, não seria eu que quereria estar de vigília em tão grande aflição. Por isso me encontro aqui há muito tempo a apreciar como dormes serenamente e foi de propósito que não te acordei, para aproveitares este tempo o mais agradavelmente possível. Muitas vezes já, na tua vida passada, te felicitei pelo teu carácter, mas é sobretudo a triste conjuntura presente que me faz admirar a facilidade e a calma com que a suportas.

SÓCRATES

Não seria assim muito lógico, Críton, que, chegado a esta idade, eu me revoltasse à ideia de ter de morrrer já.

CRÍTON

c Mas outros igualmente velhos, Sócrates, se têm visto em idênticas circunstâncias e nunca a idade os impediu de se indignarem contra a sua sorte.

SÓCRATES

É um facto. Mas afinal porque vieste tão cedo?

CRÍTON

Venho trazer-te, Sócrates, uma notícia penosa, não para ti, pelo que estou a ver, mas penosa e dura para mim e para todos os teus amigos. Pelo que me toca, creio ser um daqueles para quem ela é mais dolorosa.

SÓCRATES

Que notícia é essa? Será que acaba de chegar de Delos[1] o navio[2], de cuja chegada depende a data da minha morte? *d*

CRÍTON

Não, ainda não chegou, mas suponho que chegará hoje, a julgar pelo que dizem algumas pessoas vindas de Súnio[3], que lá o deixaram. Estas notícias garantem que chegará hoje e que, por isso, Sócrates, terás de morrer amanhã.

SÓCRATES

Que seja em boa hora, Críton! Se assim apraz aos deuses, seja assim. Não creio, no entanto, que ele chegue hoje.

CRÍTON

Em que te baseias para pensar assim? 44

SÓCRATES

Já te explico. É no dia a seguir àquele em que o barco chegar que eu tenho de morrer, não é verdade?

CRÍTON

Pelo menos é o que dizem os encarregados desta questão.

---

(1) Ilha que ocupa o lugar central do arquipélago das Cíclades.

(2) O envio anual desta nau a Delos, ao mesmo tempo que celebrava o nascimento de Apolo, comemorava a proeza de Teseu que libertara Atenas dos sacrifícios humanos que lhe impunha o Minotauro. No período que mediava entre a coroação da nau e o seu regresso de Delos, não podia haver em Atenas execuções capitais. Ora a condenação de Sócrates ocorrera no dia a seguir ao da coroação da nau.

(3) Promontório situado a sudeste da Ática.

SÓCRATES

Então não creio que chegue hoje, mas amanhã. Fundo a minha suposição num sonho que tive esta noite, há poucos instantes. Ainda bem que não me acordaste nesta ocasião.

CRÍTON

Mas que sonho foi esse?

SÓCRATES

b Pareceu-me ver uma mulher bela e graciosa, de manto branco, aproximar-se de mim, chamar-me e dizer: Sócrates, «dentro de três dias deverás chegar à fértil Ftia» (4).

CRÍTON

Que estranho sonho, ó Sócrates!

SÓCRATES

Pelo contrário, Críton, perfeitamente claro, ao que me parece.

CRÍTON

Claro em demasia, creio eu. Mas, meu caro Sócrates, uma vez mais te peço, obedece-me e salva-te. É que, se morreres, não será para mim uma desgraça só, mas, além de ficar privado dum amigo como não tornarei a achar outro, ainda farei aos olhos da maioria, que não nos conhece bem, nem a mim nem a ti, o papel *c* de alguém que, podendo salvar-te, se quisesse gastar dinheiro, não esteve para se incomodar. E que fama pode haver mais ver-

(4) Estas palavras são a reprodução, ligeiramente alterada para se poderem aplicar a Sócrates, do v. 363 do canto IX da *Ilíada*, em que Aquiles se declara resolvido a regressar à sua pátria, o que não levará mais que três dias. Também Sócrates interpreta o sonho como o anúncio do seu próximo regresso à verdadeira pátria, no Além. Esta forma de encarar a vida terrena como uma espécie de exílio é característica do Orfismo.

gonhosa que parecer ter em maior conta o dinheiro do que os amigos? A maioria das pessoas nunca acreditará que foste tu que não quiseste sair daqui, apesar da insistência dos nossos pedidos.

SÓCRATES

Mas que nos importa a nós, meu prezado Críton, a opinião da maioria, se as pessoas verdadeiramenrte sensatas, que são as únicas que nos devem interessar, hão-de compreender que as coisas se passaram como de facto se passaram.

CRÍTON

Tu vês, no entanto, Sócrates, que há necessidade de atender também à opinião da maioria. E as circunstâncias presentes demonstram à evidência que a multidão é capaz de realizar não os menores, mas, ia quase a dizer, os maiores dos males, se um homem é junto dela alvo da calúnia. *d*

SÓCRATES

Quem dera, Críton, que a multidão fosse capaz de realizar os maiores males, contando que fosse igualmente capaz de realizar os maiores bens! Era bom que assim fosse... Mas a verdade é que ela não é capaz nem de uma coisa nem de outra. Não tem em si o poder de tornar um homem sensato ou insensato: o que faz é pura e simplesmente ao acaso.

CRÍTON

Seja assim! Mas diz-me uma coisa, Sócrates: será que te preocupa, em relação a mim e aos teus outros amigos, a ideia de que, se saíres daqui, os sicofantas([5]) nos criem problemas com o argumento de que te tirámos daqui, sujeitando-nos ou ao confisco de todos os nossos bens ou ao pagamento duma soma avul- *e*

([5]) Sicofantas eram aqueles que faziam da delação e da chantagem a sua forma de vida. Eram, portanto, indivíduos sem escrúpulos que a severidade das leis não conseguia deter nas suas práticas criminosas.

45 tada ou a algum dano ainda pior? Se é qualquer coisa deste género que receias, podes estar tranquilo, porque, para te salvar, é mais que justo que corramos este perigo e, em caso de necessidade, um ainda maior. Aceita, pois, os meus conselhos e não penses em agir de outra forma.

SÓCRATES

Preocupa-me isso, Críton, e muito mais.

CRÍTON

Mas não tenhas receio de nada disto: em primeiro lugar, não é grande a soma que pedem para te salvar e tirar daqui; depois, *b* não vês como os sicofantas são vis e que não seria preciso muito dinheiro para os subornar? A minha fortuna está à tua disposição e estou convencido que chega perfeitamente. Mas, ainda que, por qualquer preocupação a meu respeito, tu entendas que não devo fazer uso dos meus bens, há aqui vários estrangeiros prontos a fazer esta despesa: um deles, Símias, de Tebas, trouxe até o dinheiro necessário para o efeito; Cebes(6) também está pronto e há ainda muitos outros. De forma que, repito, não vás com estes receios desistir de te salvar nem constitua para ti problema o que disseste no tribunal, que, se saísses de Atenas, não saberias o que fazer nem para onde ir. Para onde quer que vás, *c* estimar-te-ão; e, se quiseres ir para Tessália(7), tenho hóspedes que te apreciarão muito e velarão pela tua segurança, de modo a não seres incomodado por qualquer habitante da região.

Além disso, Sócrates, não me parece muito justo da tua parte atraiçoares-te a ti próprio, quando te seria possível salvares-te. Acabas por fazer a ti próprio aquilo que os teus inimigos te fariam e fizeram, querendo perder-te. Mais ainda, acho que atrai- *d* çoas os teus próprios filhos, visto que, podendo criá-los e educá-

(6) Símias e Cebes, naturais de Tebas, foram, na sua juventude, discípulos do Pitagórico Filolau, até à partida deste para a Itália. Posteriormente, aderiram ao magistério de Sócrates, de que foram, segundo o testemunho de Xenofonte, discípulos fiéis.

(7) Província do norte da Grécia.

-los, partes, deixando-os ao abandono. Pelo teu lado ficam à mercê da sorte, em condições de, muito provavelmente, suportar as desgraças que costumam atingir os órfãos na sua orfandade. E a questão é que, ou não se deve ter filhos ou há que partilhar a sua sorte, criando-os e educando-os. Ora parece-me que tu escolheste o partido mais cómodo, quando devias ter escolhido aquele que seria preferido por um homem de bem e de coragem, principalmente se esse homem afirma que, em toda a sua vida, cultivou a virtude. É por isso que eu sinto vergonha por ti e por nós, teus amigos, vergonha e receio de que pareça que toda esta questão foi conduzida com uma certa cobardia da nossa parte: primeiro, a entrada do processo no tribunal, onde nunca devia ter entrado; depois, a maneira como a discussão da causa se realizou; por fim, como desfecho ridículo da acção, a possibilidade de que alguém pense que foi por vileza e cobardia que nos esquivámos à nossa obrigação, não te salvando, nem tu a ti próprio, quando tal era perfeitamente possível, se não fosse nulo o nosso préstimo. Vê, pois, Sócrates, se estas coisas, além de funestas, não serão ainda desonrosas para ti e para nós. Toma a tua decisão já, embora a altura não seja para deliberar, mas para ter deliberado. O caminho a seguir é só um, uma vez que tudo tem de estar feito na noite que vem. Se hesitarmos um pouco que seja, eliminamos toda e qualquer possibilidade de êxito. Por isso, Sócrates, obedece-me como quiseres, mas obedece-me e não procedas de maneira diferente da que te digo.

e

46

SÓCRATES

Meu caro Críton, o teu zelo é muito louvável, se for acompanhado de recta razão. Caso contrário, será tanto mais inconveniente quando maior for. Teremos, pois, de examinar se o que me propões deve ser feito ou não, visto que eu fui sempre, e não apenas agora, de molde a não me deixar convencer por outro argumento que não seja aquele que a minha razão considere o melhor. Os princípios que até aqui afirmei não posso agora repudiá-los, só porque me encontro nestas circunstâncias. A verdade é que eles me parecem exactamente os mesmos e continuo a venerá-los e honrá-los como antes. Portanto, se, no caso presente, não pudermos invocar argumentos melhores do que os

b

c

citados, convence-te de que não me verás ceder às tuas razões, nem que a força da maioria tente assustar-nos, como a crianças, com o espantalho de males piores do que os actuais, ameaçando-nos com prisões, mortes, confiscos de bens.

Como havemos, pois, de examinar esta matéria da maneira mais conveniente? Talvez retomando, em primeiro lugar, a tua argumentação de há pouco a respeito das opiniões, para vermos

d se era ou não correcta a nossa afirmação habitual de que há opiniões a que se deve dar atenção e outras não. Ou isto estava certo só antes de eu ter de morrer, sendo agora evidente que falávamos por falar, sem fundamento sério, e que não passava tudo de brincadeira de crianças e mera tagarelice? Desejo, pois, examinar contigo, Críton, se o princípio em causa é diferente por me encontrar nesta situação ou se se mantém intacto; se devemos desprezá-lo, ou obedecer-lhe. Ora quem tem a preocupação de falar seriamente diz sempre, creio eu, aquilo que eu há pouco afirmava, que das opiniões que os homens formam, umas devem

e ser tidas em grande conta, outras não. Pelos deuses, Críton, não achas que este princípio está certo? Porque, enfim, tanto quando se pode humanamente prever, tu não estás na contingência de morrer amanhã e a minha desgraça presente não deveria afec-

47 tar-te o raciocínio. Reflecte, pois, no seguinte: não te parece exacta a afirmação de que não temos que respeitar as opiniões todas dos homens, mas umas sim e outras não, e não de todos os homens, mas de uns sim e outros não? Que dizes? A afirmação não está certa?

CRÍTON

Está.

SÓCRATES

E não devemos nós respeitar as boas opiniões em vez de as más?

CRÍTON

Sem dúvida.

SÓCRATES

E as boas opiniões não são as dos homens sensatos, tal como são más as dos insensatos?

CRÍTON

Como poderia ser de outra forma?

SÓCRATES

Ora bem, como é que então se há-de pôr esta questão noutros termos? Um homem que pratica ginástica com aplicação dá importância ao louvor, à censura e à opinião de qualquer pessoa ou tão-somente daquela que é, por exemplo, médico ou professor de ginástica? *b*

CRÍTON

Desta só.

SÓCRATES

Nesse caso serão as censuras desta pessoa que deverá recear, do mesmo modo que estimará os seus elogios, sem se preocupar com as apreciações da maioria.

CRÍTON

Evidentemente.

SÓCRATES

Deverá, pois, agir, exercitar-se, comer e beber exclusivamente de acordo com a opinião de tal pessoa entendida e conhecedora, em vez de atender à opinião de todos os outros.

CRÍTON

Assim deve ser.

SÓCRATES

c Pois bem, se ele desobedecer a esta pessoa, desprezando a sua opinião e os seus elogios, para, em troca, respeitar as palavras da multidão, que nada percebe do assunto, não virá a sofrer algum mal?

CRÍTON

Creio que sim!

SÓCRATES

E que mal é esse? Que efeitos terá e qual será a parte afectada naquele que desobedece?

CRÍTON

É evidente que o afectado será o corpo, visto que o mal em questão tende a destruí-lo.

SÓCRATES

Bem observado. E o mesmo se aplica às outras coisas, Críton, isto para não entrarmos na análise do que se passa em todos os domínios; e, concretamente, no que respeita ao justo e ao injusto, ao feio e ao belo, ao bom e ao mau, que são o objecto actual da nossa deliberação, deveremos nós seguir e recear a opi- *d* nião da maioria ou tão-só a daquele que é entendido na matéria (no caso de o haver), a quem devemos respeitar e temer mais do que aos outros todos juntos? Certamente que, se não adoptarmos a orientação deste, arruinaremos e degradaremos em nós aquela parte que sabemos tornar-se melhor pela prática da justiça e perecer pela injustiça. Ou será que isto não tem qualquer importância?

CRÍTON

Quanto a mim, tem, Sócrates.

SÓCRATES

Vejamos ainda: se, ao seguir uma opinião diferente da dos entendidos, corrompermos em nós a parte que se torna melhor com um regime são e se arruina com um malsão, será que poderemos viver com esta parte assim arruinada? É do corpo que se trata, não é assim? *e*

CRÍTON

Exactamente.

SÓCRATES

Podemos, pois, viver com um corpo doente e arruinado?

CRÍTON

De modo nenhum.

SÓCRATES

Mas ser-nos-á então possível viver se tivermos arruinado aquela parte do nosso ser que a injustiça prejudica e a justiça favorece? Ou será que nós consideramos menos valiosa do que o corpo aquela parte de nós mesmos, seja ela o que for, a que a injustiça e a justiça se referem? 48

CRÍTON

Certamente que não.

SÓCRATES

Achamo-la, pelo contrário, mais preciosa?

CRÍTON

Muito mais.

SÓCRATES

Então, meu caro amigo, não temos que nos incomodar muito com o que dirá de nós a multidão, mas sim com o que dirá aquele que é entendido no justo e no injusto, a ele só atendendo e à própria verdade. Não é, por isso, boa a tua sugestão inicial de que devemos preocupar-nos com a opinião da maioria sobre a justiça, a beleza, a bondade e seus contrários.

Em todo o caso, poderá alguém observar, não é a maioria capaz de nos matar?

CRÍTON

b É evidente que poderão dizê-lo, Sócrates. Tens toda a razão para o afirmar.

SÓCRATES

Mas, meu caro, o raciocínio que temos vindo a desenvolver parece-me que não é de modo algum afectado por tal observação. E examina agora se permanece ou não aqueloutro princípio de que o que verdadeiramente importa não é viver, mas viver bem.

CRÍTON

Não há dúvida que permanece.

SÓCRATES

E o de que o bem, o belo e o justo são uma e a mesma coisa, permanece ou não permanece?

CRÍTON

Permanece.

SÓCRATES

Nesse caso devemos examinar, de acordo com os princípios *c* estabelecidos, se é ou não justo que eu tente sair daqui sem permissão dos Atenienses. Se nos parecer justo, tentêmo-lo; caso contrário, deixemos as coisas como estão. Quanto às tuas consideração sobre despesas, reputação e criação dos filhos, vê lá, Críton, se essas considerações não são precisamente as da maioria que com toda a facilidade manda matar um homem e que, morto este, o ressuscitaria, se pudessse, sem a mínima reflexão. Pela nossa parte, visto que a razão assim o impõe, não temos porventura outra coisa a fazer senão examinar a questão que há pouco enunciávamos: saber se, pagando e ainda testemunhando *d* reconhecimento àqueles que poderão tirar-me daqui, agiremos com justiça, eles e nós, ou se, fazendo tudo isto, somos verdadeiramente culpados. E, se tal procedimento se nos afigurar injusto, creio que não será de tomar em conta se, ficando aqui, sem tomar qualquer iniciativa, nos expomos à morte ou a um sofrimento de outro género, porque tudo é secundário ante a perspectiva de ser injusto.

CRÍTON

O que dizes, Sócrates, parece-me acertado. Vê então o que havemos de fazer.

SÓCRATES

Examinêmo-lo em conjunto, amigo, e, se tens alguma objec- *e* ção válida a fazer-me, fá-la, que eu te obedecerei; se não, meu caro Críton, deixa de me repetir tantas vezes que devo sair daqui, mesmo sem ser essa a vontade dos Atenienses. É que eu não estou interessado em agir contra a tua opinião, preciso do teu assentimento. Vê, pois, se o princípio em que se baseia este exame te satisfaz, e tenta responder às minhas perguntas conso- 49 ante a verdade das tuas convicções.

CRÍTON

Vou tentar.

SÓCRATES

Podemos dizer que em caso nenhum se deve praticar voluntariamente a injustiça ou que, numas condições, sim, e, noutras,

não? Será que a injustiça nunca é boa e bela, como por nós foi muitas vezes reconhecido no passado e ainda há pouco afirmávamos? Ou todos aqueles princípios que até agora admitíamos se dissiparam nestes poucos dias, devendo nós reconhecer que, antigamente, quando já em idade avançada, conversávamos
b seriamente um com o outro, estávamos afinal, sem dar por isso, a proceder como crianças? E, quer a maioria concorde quer não, mesmo que tenhamos de sofrer ainda males maiores ou menores, não é incontestável aquilo que há pouco afirmávamos, que a injustiça é em qualquer circunstância um mal e uma vergonha para quem a comete? Afirmamos isto ou não?

CRÍTON

Afirmamos.

SÓCRATES

Em caso algum devemos, pois, ser injustos.

CRÍTON

Claro que não.

SÓCRATES

Nem responder a uma injustiça com outra injustiça, como pensa a multidão, uma vez que em caso nenhum devemos praticar a injustiça.

CRÍTON

c Assim parece.

SÓCRATES

Mas quê! É permitido ou não, Críton, fazer mal a alguém?

CRÍTON

Não, por certo, Sócrates.

SÓCRATES

Enfim, pagar o mal com o mal, como pretende a maioria, será uma atitude justa ou injusta?

CRÍTON

Evidentemente injusta.

SÓCRATES

Certamente porque fazer mal a alguém é o mesmo que ser injusto.

CRÍTON

É assim, de facto.

SÓCRATES

Não devemos, pois, responder à injustiça com a injustiça nem fazer mal a ninguém, qualquer que seja o agravo que nos tenham feito. Mas vê bem, Críton, se, ao concederes isto, não o fazes contra a tua própria opinião, visto que tal princípio, não tenho *d* dúvidas a este respeito, é e será sempre perfilhado por poucas pessoas. Ora entre os que pensam assim e os que pensam de maneira oposta não pode haver acordo, pelo contrário desprezam-se necessariamente uns aos outros, conscientes da diversidade dos seus pontos de vista. Vê, portanto, com atenção, se concordas comigo, se partilhas de facto a minha opinião — e nesse caso poderemos deliberar com base naquele princípio de que nunca devemos ser injustos, nem tomar vingança de quem nos fez mal — ou se, neste ponto, te separas de mim, negando a tua concordância a este princípio fundamental. Pela minha *e* parte, há muito que o considero verdadeiro e não mudei de opinião; se tu vês as coisas de outro modo, di-lo e expõe as tuas razões. Mas, se manténs o pensar de outrora, então ouve as consequências que dele derivam.

CRÍTON

Claro que mantenho e sou inteiramente da tua opinião. Podes continuar.

SÓCRATES

Vou então dizer-te as consequências do referido princípio, ou antes, vou perguntar-tas. Quando uma pessoa concorda com outra sobre a justiça de uma acção a realizar, deve praticá-la ou faltar à sua palavra?

CRÍTON

Deve praticá-la.

SÓCRATES

50 Considera agora o seguinte: saindo daqui sem consentimento da cidade, não fazemos nós mal a alguém e precisamente àqueles a quem menos o devíamos fazer? Que te parece? E estaremos nós a observar aqueles princípios que reputámos justos, ou será precisamente o contrário?

CRÍTON

Não posso responder, Sócrates, ao que me perguntas porque não estou a compreender.

SÓCRATES

Bem, encara a questão desta maneira. Se, no momento de nos evadirmos — ou como quer que se chame à acção em causa —, as Leis e o Estado viessem ter connosco e, postados na nossa frente, nos perguntassem: «Diz-nos, Sócrates, que tencionas fazer? Essa acção que empreendes pode ter outro fim que não seja destruir-nos, a nós, as Leis, e a todo o Estado, na medida das tuas possibilidades? Ou parece-te possível que um Estado subsista e não seja derrubado, quando as decisões dos tribunais não têm força e se vêem desrespeitadas e abolidas por simples particulares?» Que resposta daremos nós, Críton, a estas perguntas e a outras semelhantes? Muito poderia dizer qualquer pessoa, sobretudo um orador, sobre a destruição desta lei que determina que as decisões dum tribunal são para se cumprir. Ou responderemos que o Estado foi injusto connosco, não nos julgando como devia? Será isto que diremos? *b* *c*

CRÍTON

Por Zeus, não, Sócrates.

SÓCRATES

Suponhamos agora que as Leis nos diziam: «Sócrates, era isso que estava combinado entre nós ou que te submeterias às sentenças proferidas pelo Estado?» E, se nós nos admirássemos das suas palavras, talvez observassem: «Ó Sócrates, não estranhes esta linguagem e responde, visto que também estás habituado ao processo de interrogar e de responder. Ora vejamos, que razão de queixa tens contra nós e o Estado para tentares destruir-nos? Em primeiro lugar, não é a nós que deves a vida, não foi por nosso intermédio que o teu pai recebeu a tua mãe e te deu o ser? Diz lá, tens alguma coisa a censurar àquelas dentre nós que regulam o casamento, notas nelas algum defeito?» «Não tenho nada a censurar-lhes», diria eu. «E àquelas que regulam a criação e educação das crianças, segundo as quais também tu foste instruído? Porventura não eram boas aquelas leis que dispunham que o teu pai te devia mandar instruir na música e na ginástica?» «Eram boas», diria eu. «Muito bem. E depois de teres nascido e teres sido criado e instruído, poderás afirmar que não és nosso, nosso filho e nosso escravo, tu e os teus antepassados? E, se isto é assim, pensas acaso que são iguais os nossos direitos e que te é lícito fazer-nos, a nós, aquilo que tivermos empreendido contra ti? Ou será que em relação ao teu pai e ao *d* *e*

teu senhor, no caso de teres um, te assistiria o direito de lhes
51 fazer o que te fizessem, como responder com dureza a palavras duras ou a pancadas com outras pancadas e assim por diante, e em relação à Pátria e às Leis tudo te será permitido, de tal modo que, se intentarmos destruir-te, por considerar que isso é justo, também tu tentarás, na medida das tuas forças, destruir-nos, a nós, as Leis, e à Pátria e, agindo assim, dirás que procedes com justiça, tu que te consagras sinceramente à virtude? Ou a tua
b sabedoria é tão escassa que não te apercebes que, aos olhos dos deuses e dos homens que têm algum senso, a Pátria é algo mais precioso, mais venerável, sagrado e digno de apreço do que uma mãe, um pai e todos os antepassados; que é preciso honrá-la, obedecer-lhe e fazer por lhe agradar, mesmo quando está irritada, mais do que a um pai, e que se deve persuadi-la a mudar de opinião ou fazer o que ela ordena, sofrer com paciência o que ela manda sofrer e, se ela o desejar, deixar-se bater, prender e levar para a guerra, na perspectiva de ser ferido ou morto? Tudo isto se deve fazer porque é justo, sem jamais ceder terreno, nem recuar nem abandonar o seu posto, executando pelo contrário,
c aquilo que o Estado e a Pátria ordenam, tanto na guerra como no tribunal e em qualquer parte, ou então fazê-los mudar de opinião com argumentos justos. Se é ímpio empregar a violência contra uma mãe ou um pai, não o será muito mais contra a Pátria?» Que responderemos a isto, Críton? As Leis falam verdade ou não?

CRÍTON

Acho que falam verdade.

SÓCRATES

«Vê, pois, Sócrates», acrescentariam talvez as Leis, «se temos razão ao afirmar que não é justo que faças aquilo que intentas fazer. Efectivamente, nós que te demos a vida, que te criámos e educámos, que te fizemos participar, a ti e a todos os outros
d cidadãos, de todos os bens em nosso poder, declaramos, no entanto, que qualquer Ateniense, uma vez que entra na posse dos seus direitos cívicos e nos conhece a nós, as Leis, e à vida da

sua cidade, pode, caso não lhe agradarmos, pegar nas suas coisas e partir para onde quiser. E, se algum de vós, descontente connosco e com o Estado, quer partir para uma colónia ou estabelecer-se no estrangeiro, qualquer que seja o lugar escolhido, nenhuma de nós faz obstáculo nem o proíbe de ir para onde deseja, com tudo o que lhe pertence. Mas, se algum de vós fica, sabendo a maneira como exercemos a justiça e administramos o Estado, declaramos que este se comprometeu de facto connosco a fazer o que lhe ordenamos e afirmamos que, se não nos obedecer, é triplamente culpado, primeiro porque não nos obedece, a nós que lhe demos a vida, depois porque desobedece a quem o criou e, finalmente, porque, depois de nos prometer obediência, não nos obedece nem tenta esclarecer-nos, no caso de não termos procedido bem. E, enquanto nós apenas lhe propomos fazer o que lhe ordenamos, sem imposições tirânicas, permitindo-lhe optar entre discutir as ordens e cumpri-las, ele não faz nem uma coisa nem outra.» *e* 52

«Ora bem, Sócrates, também tu, em nossa opinião, incorrerás nestas acusações, se fizeres o que projectas, tu mais do que a generalidade dos Atenienses.» E, se eu lhes perguntasse a razão disto, talvez me atacassem com justiça, lembrando que me encontro no número dos Atenienses que mais solenemente tomaram este compromisso. E dir-me-iam: «Sócrates, temos grandes provas de que nós e o Estado te agradamos. Efectivamente, tu não terias vivido nesta cidade mais tempo do que qualquer dos Atenienses, se ela não te agradasse mais do que aos outros. Ora tu nunca saíste da cidade para ir a uma festa, a não ser uma única vez, ao Istmo[8], nunca foste a qualquer país estrangeiro senão em campanha[9], nem empreendeste nunca uma viagem, como os outros homens; jamais se apoderou de ti o desejo de conhecer outra cidade ou outras leis. Nós e a nossa cidade te bastávamos: tanto nos preferias a tudo e consentias em ser governado por nós. E a prova de que esta cidade te agradava é que nela viveste e quiseste que nascessem os teus filhos. Enfim, mesmo *b* *c*

[8] O Istmo em questão é o Istmo de Corinto, que liga a península do Peloponeso ao continente grego.

[9] Recordem-se as campanhas de Potideia, Délio e Anfípolis em que Sócrates participou, conforme se lê na *Apologia* (28e).

no teu processo podias ter sido condenado ao exílio, se quisesses, e ter feito com o consentimento da cidade o que hoje projectas fazer sem o seu consentimento. Vangloriavas-te então de que não te custava nada ter de morrer, afirmando que preferias a morte ao exílio, e agora, sem te envergonhares destas palavras nem te incomodares connosco, as Leis, tentas destruir-nos, procedendo como procederia o escravo mais vil, tentando fugir apesar dos nossos acordos e do compromisso que assumiste connosco de viver como um cidadão. Responde-nos, pois, em primeiro lugar, se é exacta a nossa afirmação de que te comprometeste de facto, e não apenas por palavras, a deixares-te governar por nós.» Que resposta dar a isto, Críton? Ser-nos-ia possível discordar?

d

CRÍTON

Teríamos por força que concordar, Sócrates.

SÓCRATES

e

«Que vais tu fazer» — continuariam elas — «senão violar os nossos acordos e os teus compromissos, que assumiste sem teres sido forçado ou enganado ou teres sido constrangido a decidir em pouco tempo, visto que dispuseste de setenta anos ([10]) durante os quais podias ter partido, se nós não te agradássemos, se os compromissos que nos uniam não te parecessem justos? Mas tu não preferiste a Lacedemónia ou Creta, cujas constituições constantemente elogias ([11]), nem qualquer outra cidade grega ou bárbara. Pelo contrário, ausentaste-te de Atenas menos do que os coxos, os cegos e os outros estropiados: tão evidente é que esta cidade e nós, as Leis, te agradávamos mais do que aos outros Atenienses; e poderá uma cidade agradar a quem não ama as suas leis? E faltarás agora aos teus compromissos? Não o farás, Sócrates, se nos quiseres dar ouvidos, e não te exporás ao ridículo, saindo da cidade.»

53

([10]) Sócrates nasceu em 469 e morreu em 399 a. C.

([11]) É conhecido o «laconismo» de Sócrates, que apreciava muito as constituições semelhantes da Lacedemónia (outro nome de Esparta) e de Creta.

«Na realidade, se violares os nossos acordos, se cometeres uma falta deste género, pensa que bem farás com isto a ti próprio e aos teus amigos. Parece-me quase evidente que os teus amigos correrão o risco de ser exilados, privados do direito de cidade ou despojados dos seus bens. Quanto a ti, em primeiro lugar, se fores para alguma das cidades mais próximas, Tebas ou Mégara — pois ambas são governadas por boas leis —, serás recebido, Sócrates, como inimigo da sua constituição, e quantos tiverem amor à sua cidade olhar-te-ão com suspeita como a um destruidor das leis; justificarás, assim, a opinião de todos aqueles que entendem que os teus juízes pronunciaram uma sentença justa. Efectivamente, quem é destruidor das leis facilmente pode ser considerado corruptor dos jovens e dos espíritos fracos. Terás, pois, de evitar as cidades mais bem governadas e os homens mais civilizados? E, se assim fizeres, valerá a pena viver? Ou procurarás o convívio destes homens e não terás vergonha de lhes dizer... o quê, Sócrates? O mesmo que dizias aqui, que a virtude e a justiça são o que há de mais precioso para o homem, assim como a legalidade e as leis? E não crês que a conduta de Sócrates será considerada vergonhosa? Não pode haver dúvidas a este respeito. Mas talvez tu te afastes destes lugares para ir para a Tessália, para casa dos hóspedes de Críton; aqui, pelo menos, reina a maior desordem e imoralidade[12] e talvez eles te ouçam, encantados, contar a maneira cómica como te evadiste da prisão, envolvido num manto ou vestido com uma pele, utilizando enfim qualquer daqueles disfarces de que se costumam servir os fugitivos adoptando as atitudes de outrem. Pensas que ninguém dirá que, sendo tu um homem velho e restando-te já pouco tempo de vida, ousaste, no entanto, desejar vergonhosamente mais vida, a ponto de transgredires as leis mais importantes? Talvez isto não aconteça, se não ofenderes ninguém, porque, se o fizeres, hás-de ouvir muitas palavras humilhantes. Viverás lisonjeando toda a gente, sujeito a todos. Que poderás fazer na Tessália senão assistir a banquetes, como se tivesses ido lá só para jantar? E onde estarão então aqueles teus discursos sobre a justiça e as outras vir-

b *c* *d* *e* 54

(12) Vários autores antigos, como Xenofonte (*Mem.*, I, 2, 24), falam do desregramento de costumes em que se vivia então na Tessália.

tudes? Mas será que tu queres viver por causa dos teus filhos, para os criares e educares? O quê? Vais levá-los para a Tessália para aí os criares e educares, dando-lhes a condição de estrangeiros que um dia terão de te agradecer? Ou será de outra maneira, ficarão para serem criados aqui: e pensas que, só por estares vivo, serão mais bem criados e educados, embora sem a tua presença? Os teus amigos, sem dúvida, cuidarão deles. Mas será que só o farão se fores para a Tessália, ao passo que, se fores para o Hades([13]), não se interessarão por eles? Se aqueles *b* que se dizem teus amigos têm algum préstimo, deves pensar que não os abandonarão.»

«Obedece-nos, pois, Sócrates, a nós que te criámos, e não prezes os teus filhos, a tua vida, ou o que quer que seja, mais do que a justiça, para que, ao chegar ao Hades, possas alegar isto em tua defesa aos que ali governam. Pois o que te propões fazer não parece que seja, neste mundo, nem o melhor, nem o mais justo, nem o mais piedoso, para ti ou para qualquer dos teus, e *c* tampouco será o melhor em relação ao outro mundo, quando lá chegares. Se deixares esta vida agora, morrerás vítima de uma injustiça, praticada não por nós, as Leis, mas pelos homens; se, pelo contrário, te evadires assim vergonhosamente, respondendo à injustiça com a injustiça e ao mal com o mal, violando os teus compromissos e os acordos que fizeste connosco, e prejudicando aqueles a quem menos devias prejudicar, a ti próprio, aos teus amigos, à tua Pátria e a nós, a nossa cólera perseguir-te-á durante a vida e, quando morreres, as nossas irmãs, as leis do Hades, não te acolherão favoravelmente, sabendo que fizeste *d* todo o possível por nos destruir. Não deixes, pois, que Críton te convença a fazer o que diz, segue antes os nossos conselhos.»

Estes são, caríssimo Críton, os discursos que julgo ouvir, tal como os iniciados no culto dos coribantes([14]) julgam ouvir as flautas; e o som destas palavras, que vibra em mim, não me deixa ouvir nada. Podes estar certo, é esta pelo menos a minha convicção, que tudo o que disseres contra isto será dito em vão. No entanto fala, se pensas que podes conseguir alguma coisa.

([13]) *Vide Apologia*, nota 22.

([14]) Os coribantes eram os sacerdotes da deusa frígia Cíbele, que era objecto de um culto orgiástico com danças desenfreadas.

CRÍTON

Não, Sócrates, não tenho nada a dizer.

SÓCRATES

Então deixa isto, Críton, e sigamos este caminho, visto que é por ele que a divindade nos conduz.

BIBLIOGRAFIA

Edições

PLATON, *Oeuvres complètes*, t. I, texte établi et traduit par M. Croiset, Paris, Les Belles Lettres, [9]1996.

PLATONIS *Opera*, t. I, recognouit brevique adnotatione critica instruxit I. Burnet, Oxonii, 1903 (1965).

J. BURNET, *Plato's Euthyphro, Apology of Socrates and Crito*, Oxonii, [2]1967.

Estudos

M. ALEXANDRE, *Lecture de Platon*, Paris, Collection Études Supérieures, 1968.

A. C. BLUM, *Socrates*, Londres, Routledge and Kegan, 1978.

Y. BRÈS, *La psychologie de Platon*, Paris, Presses Universitaires de France, [2]1973.

P. FRIEDLÄNDER, *Plato: The Dialogues. First Period* (trad. inglesa), Nova Iorque, Pantheon Books, 1964.

—, *Plato: An Introduction* (trad. inglesa), Nova Iorque, Princeton University Press, [2]1969.

V. GOLDSCHMIDT, *Les dialogues de Platon*, Paris, Presses Universitaires de France, [3]1971.

G. M. A. GRUBE, *Plato's Thought*, Londres, University Press, 1935 (1970).

J. LABORDERIE, *Le dialogue platonicien de la maturité*, Paris, Les Belles Lettres, 1978.

J. H. RANDALL, Jr., *Plato: Dramatist of the Life of Reason*, Nova Iorque, Columbia University Press, 1970.

G. X. SANTAS, *Socrates: Philosophy in Plato's Early Dialogues*, Londres, Routledge and Kegan, 1979.

A. E. TAYLOR, *Plato: the Man and his work*, Londres, University Press, 1926 (1971).

A. D. WOOZLEY, *Law and Obedience: The Arguments of Plato's Crito*, Londres, Duckworth, 1979.

ÍNDICE